BELTENEBROS

ANTONIO MUÑOZ MOLINA

BELTENEBROS

Seix Barral ⚹ Biblioteca Breve

Cubierta: «Un viajero», de Juan Vida
(técnica mixta sobre lienzo)

Primera edición: marzo 1989
Segunda edición: abril 1989

© Antonio Muñoz Molina, 1989

Derechos exclusivos de edición en castellano
reservados para todo el mundo:
© 1989: Editorial Seix Barral, S. A.
Córcega, 270 - 08008 Barcelona

ISBN: 84-322-0600-8

Depósito legal: B. 11.972 - 1989

Impreso en España

1989. — Talleres Gráficos DUPLEX, S. A.
Ciudad de la Asunción, 26 - 08030 Barcelona

Unas veces huían sin saber de quién
y otras esperaban sin saber a quién.

CERVANTES, *Don Quijote*, II, LXI

1

Vine a Madrid para matar a un hombre a quien no había visto nunca. Me dijeron su nombre, el auténtico, y también algunos de los nombres falsos que había usado a lo largo de su vida secreta, nombres en general irreales, como de novela, de cualquiera de esas novelas sentimentales que leía para matar el tiempo en aquella especie de helado almacén, una torre de ladrillo próxima a los raíles de la estación de Atocha donde pasó algunos días esperándome, porque yo era el hombre que le dijeron que vendría, y al principio me esperó disciplinadamente, muerto de frío, supongo, y de aburrimiento y tal vez de terror, sospechando con certidumbre creciente que algo se estaba tramando contra él, desvelado en la noche, bajo la única manta que yo encontré luego en la cama, húmeda y áspera, como la que usaría en la celda para envolverse después de los interrogatorios, oyendo hasta medianoche el eco de los altavoces bajo la bóveda de la estación y el estrépito de los expresos que empezaban a llegar a Madrid antes del amanecer.

Era un almacén con las paredes de ladrillo rojo y desnudo y el suelo de madera, y desde lejos parecía una torre abandonada y sola a la orilla de un río, más alta que las últimas tapias de la estación y que los haces de cables tendidos sobre las vías, cúbica y ciega, ennegrecida desde los tiempos de las locomotoras de carbón, con puertas y ventanas como tachadas por maderas en aspas que fueron hincadas a los marcos con una saña definitiva de clausura. Arriba, en el primer piso, había un mostrador antiguo y sólido de tienda de tejidos, y anaqueles vacíos y arbitrarias columnas y un reloj en el que estaba escrito el nombre de una fábrica textil catalana que debió de quebrar hacia principios de siglo, no mucho antes de que las agujas se detuvieran para siempre en una hora del anochecer o del alba, las siete y veinte. La esfera no tenía cristal, y las agujas eran más delgadas que filos de navajas. Cuando las toqué me herí ligeramente el dedo índice, y pensé que él, durante los días y las noches de su encierro, las habría movido de vez en cuando para obtener una ficción del paso rápido del tiempo, o para hacerlo retroceder, ya al final, cuando con un instinto de animal perseguido que desconfía de la quietud y el silencio imaginó que el mensajero a quien estaba esperando no iba a traerle la posibilidad de la huida sino la certidumbre de morir, no heroicamente, según él mismo fue enseñado a desear o a no temer, sino en la condenación y la vergüenza.

Tirados por el suelo había periódicos viejos que sonaban a hojarasca bajo mis pisadas, y colillas de cigarros con filtro y huellas secas de barro, porque la noche en que huyó o fingió huir de la comisaría, me dijeron, había estado lloviendo tan furiosamente que algunas calles se inundaron y se fue la luz eléctrica en el centro de la ciudad. Por eso pudo escapar tan fácilmente, explicó luego, tal vez temiendo ya que alguien recelara, todas las luces se apagaron justo cuando lo sacaban esposado de la comisaría, y corrió a ciegas entre una lluvia tan densa que no podían traspasarla los faros de los automóviles, de modo que los guardias que empezaron a perseguirlo y dispararon casi a ciegas contra su sombra no pudieron encontrar su rastro en la confusa oscuridad de las calles.

El colchón donde había estado durmiendo guardaba todavía un agrio olor a lana húmeda tan intenso como el olor a orines corrompidos que procedía del retrete, oculto tras una rígida cortina de plástico verde al fondo de la habitación. La cabecera del camastro estaba situada al pie del mostrador, y no era posible verlo cuando se abría la puerta. A su lado, en el suelo, junto a la lámpara de carburo, vi las novelas amontonadas, algunas sin cubiertas, recosidas con hilo áspero, gastadas por el uso de muchas manos nunca cuidadosas ni limpias, con los bordes de las páginas casi pulverizados, porque eran de esa clase de novelas que se alquilan en los quioscos de las estaciones o en los puestos callejeros. Todas las cosas que había en el almacén, la lámpara de carburo, las novelas, el olor del aire y el de los ladrillos húmedos y el del hule con que estaba pulcramente forrado el interior de los anaqueles, contenían la pesada sugestión de un error en el tiempo, no un anacronismo, sino una irregularidad en su paso, una discordia en la perduración de los objetos, acentuada por la ostensible cortina de plástico verde, por las fechas dispares de los periódicos tirados en el suelo. Uno de ellos era de la semana anterior, otro de hacía varios años, casi del tiempo en que fueron impresas las novelas, cuando fueron escritas y firmadas por Rebeca Osorio.

También ése era un nombre de novela alquilada y

pertenecía indisolublemente a aquel tiempo, no a éste, no al día futuro de mi regreso a Madrid con el propósito de matar a un hombre del que no sabía nada más que la expresión triste de su cara y los nombres sucesivos que había venido usando durante su larga impunidad clandestina. Eusebio San Martín era uno de ellos, Alfredo Sánchez, Andrade, Roldán Andrade, ése había sido su nombre en los últimos años y con él moriría. Para que reconociera su escritura me habían mostrado mensajes firmados por él, órdenes o contraseñas trazadas al azar en el reverso de un billete de Metro, escritas con una extraña sintaxis oficial. Me dijeron que manejaba una astucia de hombre invisible y que sabía disparar tan certeramente como yo mismo y esconderse y desaparecer como una sombra. Una noche, en una borrosa ciudad italiana a donde viajé desde Milán, me enseñaron una fotografía en la que estaba él, corpulento y medio desnudo en una playa del mar Negro, con un amplio bañador muy ceñido a la protuberancia del vientre, abrazando a una mujer y a una niña de aire mustio peinada con tirabuzones, sonriendo sin desconfianza ni alegría hacia la cámara, hacia la mirada y la presencia de alguien que ahora sin duda es su enemigo y aguarda en Praga o en Varsovia la noticia de su ejecución.

Me dieron su foto y un sobre cerrado que contenía el pasaporte que él estaba esperando para poder huir y un fajo de extraños billetes españoles. Ése era el cebo, el pasaporte y el dinero que él había pedido, pero me dijeron que tuviera cuidado, porque recelaría, que nadie más que yo podría ir al interior y ejecutarlo sin peligro, y recordaron mi pasado de tantos años atrás y mi pasaporte británico, admirando o reprobando en silencio, con un poco de rencor, la hechura de mi gabardina blanca y los puños de mi camisa con gemelos de oro. No me pidieron nada más ni me ofrecieron nada a cambio, no me aseguraron un porvenir en el catálogo de los héroes. Entré en aquel lugar y había un hombre de traje oscuro y gafas de montura metálica sentado junto a una botella de agua mineral que me sonrió levantando mucho la cabeza, como reconociéndome, aunque no del todo, como si alguna enfermedad de la vista le impidiera precisar con exactitud los rasgos de mi cara, y había otros a su lado, de pie, más en la sombra, estrechando mi mano, llamándome capitán, invulnerables al tiempo y a los efectos de la guerra conmemorada y perdida en la que fugazmente yo fui un capitán, vestidos con una rancia pulcritud de maniquíes anacrónicos, muy pálidos, recién llegados de oficinas insalubres y de arrabales monótonos de la Europa oriental, inhábiles como difuntos que vuelven a la vida ignorando todas las cosas usuales: el modo en que camina la gente, su forma de vestir o de fumar cigarrillos.

Yo venía de Brighton: antes de que amaneciera había viajado en el ferry hasta Calais y de allí a París en un hermético expreso que se volvía más veloz a medida que la mañana se afianzaba sobre húmedos bosques de color verde oscuro y grandes ríos inmóviles, cenagosos de niebla, y en París alguien me recogió en la estación y me llevó en coche al aeropuerto y en el último instante me tendió un pasaje de avión para Milán y otro que tras una pausa de seis horas me conduciría a Florencia. No solicitaron mi opinión, no me dijeron lo que contenía la maleta que me fue entregada en el aeropuerto de París, pero yo pensé que sería un viaje como cualquier otro, que usaban la impunidad de mi pasaporte y la coartada de mi oficio para llevar de un lado a otro de Europa sumas de dinero o vanos impresos clandestinos, porque era así como actuaban siempre, fingiendo que gentes enemigas y espías los asediaban y que a pesar de la conspiración universal urdida contra ellos estaban culminando los episodios de una sublevación definitiva. Para reclamarme casi nunca me llamaban por teléfono, me enviaban postales con unas pocas líneas que tenían tal apariencia pueril de mensajes cifrados que si alguien se hubiera ocupado de interceptarlas sin vacilación me habría calificado de agente extranjero. Yo casi adivinaba su llegada, las esperaba cada vez que me disponía a abrir el buzón, y me decía siempre que ya no les haría caso, que rompería en trozos muy pequeños la próxima postal y seguiría ocupándome de mi tienda de libros y grabados antiguos, un negocio tranquilo y relativamente próspero que tenía la virtud de otorgarme una serenidad más bien sonámbula, un sentimiento de inmersión en la lejanía de otros mundos y de un tiempo que no era del todo el de los vivos. Algunas tardes, cuando cerraba la tienda, iba caminando hasta el embarcadero del Oeste, que parece un buque abandonado, y notaba la violencia del mar bajo las maderas que crujían a mi paso. Muy cerca de la orilla el mar ya parecía una alta sima de naufragios, y en las tardes nubladas cobraba un color gris del que decían que invitaba al suicidio. Esperaba la noche bebiendo una o dos cervezas en una taberna tan cálida como el camarote de un barco —desde la barra, cuando aún no había muchos bebedores, podía oírse el estrépito de los guijarros empujados por la marea— y luego regresaba por un camino distinto únicamente para ver desde lejos las luces encendidas de mi casa, los dinteles blancos de las ventanas y la puerta resaltando contra el rojo oscuro del ladrillo, para imaginarme que yo era igual que aquella gente que caminaba despacio por el paseo marítimo en las mañanas de sol y no tenía sobre sus hombros el oprobio de una cruda desgracia interminablemente recordada.

Pero llegaba una postal de París o de Praga y yo, en lugar de romperla y de ir quemando lentamente sus pedazos en el fuego mientras bebía a solas la última copa de la noche, la guardaba bajo llave, contaminado por la misma superstición de sigilo, y me felicitaba al descifrarla, ya bebido y culpable de deslealtad y de algo más imperdonable para ellos, ironía, y a la mañana siguiente preparaba mi bolsa de viaje y contaba una mentira para justificar el abandono de la tienda. Casi siempre el viaje previo era a París: un hotel de segunda categoría, una cita en un café o en el Metro, un hombre de mediana edad que me confiaba consignas y documentos sellados. Algunos decían haber oído cosas sobre mí, me estrechaban la mano, deseándome suerte, religiosamente seguros de que la tendría. La última vez me mintieron. La postal decía «recuerdos de Florencia», pero volé hasta allí y no había nadie esperándome.

Es verdad que entonces me pasaba la mitad de la vida en los aeropuertos, y como en ellos ni el tiempo ni el espacio son del todo reales, casi nunca sabía exactamente dónde estaba y vivía bajo una tibia y perpetua sensación de provisionalidad y destierro, de tiempo cancelado y espera sin motivo. Inútil para cualquier forma no solitaria de vida, había terminado por recluirme en los hoteles y en los aeropuertos como quien se retira a un monasterio, y a veces creía tener, como los monjes, nostalgia de un mundo exterior que en realidad no me importaba, y también como ellos presenciaba visiones y era visitado por la tentación.

En los últimos meses había viajado más que nunca. Fui a Budapest en septiembre, porque me llegó desde allí una carta en la que me ofrecían, a precio ventajoso, una Biblia de Muntzer, coartada casual que a ellos debió de parecerles singularmente feliz, pues la repitieron para enviarme semanas después a una ciudad secundaria de Polonia y más tarde a Madrid, donde entregué una maleta de piel a un hombre joven y con un vago aire de enfermo que se citó conmigo en los urinarios hediondos de una estación. Acostumbrado a despertar sospechas, como todos los extranjeros permanentes, me movía siempre con igual desenvoltura y recelo. Frecuentaba sobre todo los aeropuertos menores, porque en ellos el control policial suele ser más liviano, los pequeños aeropuertos con bajas edificaciones como casas de retiro donde después del anochecer ya no quedaba casi nadie, sólo empleados ociosos que terminaban sus tareas fumando cigarrillos y limpiadoras corpulentas que vaciaban en bolsas de plástico las papeleras y caminaban con lentitud y fatiga empujando ante ellas las escobas lanudas y los recogedores.

Aquella noche de invierno, en el aeropuerto de Florencia —yo casi nunca veía las ciudades a las que viajaba, sólo sus luces desde el cielo y sus nombres en los indicadores luminosos— el hombre que debía encontrarse conmigo en la cantina no apareció, y en su lugar llegaron policías de uniforme que exigieron zafiamente la documentación a los pasajeros, a pesar de que ya habíamos cruzado el control de aduana. Los vi venir con sus correajes blancos y sus brillantes armas al costado, y tuve un poco de miedo y me acordé de un viaje clandestino a Berlín en febrero de 1944. Pero era mucho menos joven que entonces y también algo menos cobarde, y no me moví, seguí acodado en la barra y supuse que la serenidad me protegía, volviéndome invisible, porque los guardias pasaron a mi lado sin reparar en mí ni en la maleta que aquella noche tal vez ya no podría entregar.

Minutos después las luces giratorias de los coches de la policía se perdieron entre la lluviosa oscuridad y los árboles. Las vi muy de lejos, cuando se detuvieron en el cruce de la carretera principal, brillando azules y convulsas como llamas de gas amortiguadas por la niebla. Yo venía en dos vuelos sucesivos de París y de Milán, y no sabía si la hora que señalaba mi reloj era la hora de Italia ni tenía razones para otorgar al paisaje de sombras que circundaba el aeropuerto el nombre exacto de un país: sólo la perezosa somnolencia y el frío me parecieron atributos indudables de aquel lugar sobre el que toda memoria resbalaría siempre como la lluvia sobre las planchas onduladas de los cobertizos.

Me dijeron que a medianoche el mismo avión en el que había venido regresaba a Milán. Consideré con pesadumbre que no podría tomarlo y que esa inmotivada postergación deshacía todos mis cálculos sobre la duración del viaje y volvía inútiles los pasajes de ida y vuelta y las reservas de hotel. Quise pensar que aún era posible que el enlace llegara, porque su retraso quizás obedecía a una norma suplementaria de cautela. «Un joven alto y con barba», me habían explicado, «que llevará bajo el brazo una revista española». Alguien en París había concebido mi llegada y el reconocimiento como un juego de simetrías y signos: también yo, al bajarme del avión, llevaba bien visible un ejemplar de la misma revista, y el otro, en correspondencia, debía dejar a mis pies en la cantina una maleta idéntica a la mía.

Pero nadie se acercó a mí y la cantina se fue quedando vacía, y el camarero apagó una tras otra varias luces hasta dejarla en una penumbra de lugar clausurado. Los últimos viajeros se habían marchado ya y no quedaban taxis junto a las puertas de salida. Esperé un rato, mirando por un ventanal hacia la noche, oyendo a mi espalda un rumor de voces italianas. Una vez, hace años, en un cine donde yo era el único espectador, había escuchado voces parecidas, casi borradas por las de la pantalla. Unos pasos como forrados de paño vinieron hacia mí por el pasillo central, y una pequeña linterna me alumbró la cara. El acomodador, que era muy viejo y vestía una casaca roja con galones, me puso una mano en el hombro y con un murmullo entorpecido de jadeos me rogó que me marchara: me devolverían el importe de la localidad, si era tan amable, me darían una entrada gratuita para el día siguiente, porque era la última función de la noche y no quedaba nadie más en el cine, y ya podía imaginar lo caro que resultaba seguir proyectando la película solamente para mí...

Pero eso fue en un tiempo en el que decían que un cine era siempre el refugio más seguro, cuando las mujeres no se quitaban sus pequeños sombreros al acomodarse en las butacas y el humo de los cigarrillos se adensaba en los haces cónicos de luz. Recordé un noticiario en el que soldados rusos y americanos cruzaban al mismo tiempo el río Elba y se abrazaban en el agua. En la oscuridad el público del cine masticaba cosas y aplaudía.

Me pareció que la noche y los pasos a mi espalda pertenecían a la exactitud de esos recuerdos. Era como dormirse sin dejar de oír las voces de quienes hablan muy cerca. Un empleado de uniforme me dijo que ya no vendría ningún taxi: durante un segundo tuvo el rostro de aquel acomodador de pelo blanco y respiración afanosa. Le pedí que me indicara dónde había un teléfono. Me dijo que a esa hora, y más aún en invierno, sería difícil que quedara alguien en la compañía de taxis. Anchas limpiadoras de batones azules conversaban velozmente y me miraban como reprobando la irregularidad de mi presencia o el mediocre italiano que usaba para pedir un número de teléfono. Al fin y al cabo, me hicieron entender, hablándome en voz muy alta, yo mismo tenía la culpa de no haber conseguido un taxi, pues perdí tanto tiempo en la cantina que los otros pasajeros ya habían tomado los que estaban disponibles. Vendrían más, desde luego, pero sólo al cabo de tres o cuatro horas, cuando estuviera a punto de salir el último vuelo hacia Milán.

Miré con desaliento la cara mal afeitada del hombre que me explicaba estas cosas y luego la extensión vacía del vestíbulo y el reloj que señalaba las ocho y diez con una especie de indiferente crueldad. La cantina estaba cerrada: debajo de la barra permanecía encendida una sola luz, como esas lámparas votivas que no se apagan de noche. Salí afuera, a la oscuridad, escuchando motores de automóviles tras el rumor de los árboles. Me gustaba mirar la sombra que me precedía y oír mis propios pasos sobre la grava húmeda. Muchos años atrás yo había perdido el hábito de la desesperación. Casi ninguna de las adversidades de segundo orden que trastornan a otros lograba imponerse a mí durante más de quince o veinte minutos, y eso era, supongo, lo que me había agregado un prestigio de frialdad y eficacia que algunos atribuían a la prosperidad de mi negocio y a mi tranquila vida en el sur de Inglaterra. Me ocurría más bien, sobre todo cuando estaba de viaje, que no encontraba nada que no me pareciera simultáneamente hospitalario y extraño: quedarme varias horas aislado y sin nada que hacer en un aeropuerto solitario se convirtió misteriosamente en una circunstancia memorable.

Sin darme cuenta me había alejado tanto de la terminal que ya estaba a unos pasos de la carretera. Las farolas, más altas que los árboles, fosforecían tras las tenue lluvia sesgada y alumbraban rostros fugaces de automovilistas conduciendo solos hacia la ciudad que yo no podía ver. Sobre la hierba húmeda y la grava mis zapatos tenían un crujido monótono como de maderas de buque. Decidí concederme un paréntesis de impaciencia y de rabia y tiré a la maleza la revista española que ya no me iba a servir de contraseña. Noté entonces que la maleta —en realidad se parecía a una cartera de hombre de negocios, con incrustaciones de metal en los ángulos y cerradura cifrada— pesaba menos que otras veces, pero no quise preguntarme qué contendría ni por qué había tenido yo que cruzar media Europa para llevarla allí. En mi juventud esa clase de enigmas solían depararme amaneceres de insomnio y minutos de frío sudor en los pasillos de las aduanas. Sopesé la maleta y contuve las ganas de tirarla también y de no saber dónde y regresar a Milán en el avión de medianoche decidido a no contestar nunca más a los teléfonos que sonaban a deshoras y a devolver las postales que me enviaran de París. No les debía nada ni me apetecía reclamarles nada, ni siquiera el tiempo que había gastado secundando sus fantasmagorías de conspiración y vengativo regreso.

Cerca de la carretera el viento era más frío y la lluvia dispersa me atería las manos y la cara. Cuando me volví me sorprendió comprobar que no quedaba ninguna luz encendida en el edificio de la terminal: sólo permanecía muy débilmente iluminada la torre de control. Tal vez, sin premeditación ni malicia, me habían engañado, y ningún avión saldría aquella noche hacia Milán. Un automóvil con los faros apagados se deslizó entonces junto a mí, sin que yo lo hubiera visto antes ni pudiera saber de dónde procedía, emanado de la oscuridad, como la sombra de un árbol. «Señor», oí que me decían, «¿esperaba usted un taxi?». Dije que sí, me acomodé en el interior frotándome las manos, y antes de que se me ocurriera decidir dónde iría comprendí que el idioma inusual y sonoro que hablaba el conductor era el duro español de mi adolescencia.

2

Tenía mojado el cuello de la gabardina y me dolía un poco la garganta, y el presentimiento de la fiebre era como una voz que me llamaba, avisándome, diciéndome que no debería haber emprendido el viaje, que tal vez aún estaba a tiempo de decirle al conductor que volviera a llevarme al aeropuerto, al refugio inseguro de aquel avión cuyas hélices resplandecían y vibraban como en los vuelos secretos de la guerra. Pero seguí inmóvil y guardando silencio en el asiento posterior, mirando calles oscuras y esquinas de barrios deshabitados, semáforos en ámbar que parpadeaban para nadie. La ciudad era igual a cualquier otra de Inglaterra o de Francia, una de esas ciudades que después del anochecer abandonan sus calles a los automovilistas que las cruzan viniendo desde muy lejos y ni siquiera las miran. Pensé rencorosamente en las vidas ocultas tras los postigos de madera y las fachadas ocres o amarillas. Yo había visto calles semejantes en una noche muy antigua de temporal y de fracaso, hombres con boinas y mantas y pasamontañas de mendigos desfilando ante los gendarmes que los insultaban en francés y los cacheaban para quitarles las armas y las pitilleras. Ellos, nosotros, caminábamos sobre un fango de nieve y rodadas de camiones y todas las puertas y las ventanas de las casas se iban cerrando a nuestro paso, como si el solo hecho de asomarse a ellas para vernos contagiara el fracaso. Pero sin duda no dormían, sin duda estaban despiertos y al acecho tras sus postigos cerrados y escuchaban los sordos pasos de las botas militares y las caballerías.

Pensé que únicamente eso me quedaba de entonces, el sagrado rencor de los arrojados y los perseguidos. Tuve de nuevo veinte años y un desgarrado uniforme con las insignias de oficial. Pero mi lealtad no era ya para los vivos, sino para los muertos, y decidí que nunca más haría otro viaje como éste. Sin volverse hacia mí, manejando el volante con una sola mano, el conductor me ofreció un cigarrillo. Lo rechacé, tratando de distinguir su cara sombría en el retrovisor. Era un hombre de unos cuarenta años, callado y agrio, con bruscos arrebatos de velocidad. No quiso responderme a ninguna pregunta: él no sabía nada, sólo le habían ordenado que fuera a recogerme y me llevara al hotel. Involuntariamente se parecía a un taxista. Tal vez lo fue en alguna de las vidas anteriores y errantes que casi todos ellos poseían: en cada uno habitaba al menos un posible héroe y un posible desertor o traidor. Por eso eran tan hábiles en la ficción del secreto, como actores sin trabajo que ejercen desinteresadamente la mentira.

El coche se detuvo ante la puerta de un hotel. En la radio sonaba confusamente una voz aguda de mujer entre maracas y trompetas. La oí como si en pleno invierno hubiera recibido una postal desde el trópico, con una neutra nostalgia de algún lugar donde no he estado nunca. Sobre el portal pendía un luminoso en tonos verdes con la mitad de las luces apagadas: *Hotel Parigi*. Mientras yo salía del coche el conductor permaneció con la mirada fija en el parabrisas y las dos manos posadas sobre el volante, que era muy ancho y tenía un brillo de ébano. Al mirar por última vez a aquel hombre pensé con la intensidad de un vaticinio que ya no volvería a ver su rostro. Antes de entrar en el hotel esperé a que el coche se alejara. Era un modelo de líneas rudas y pesadas, como esos coches solitarios que cruzan con lentitud las avenidas de Praga o de Varsovia.

En el vestíbulo del hotel había columnas de granito y altos espejos que duplicaban palmeras de plástico. El ascensor, tapizado de un rojo sofocante, subía muy despacio, y en las bóvedas de los pasillos había pinturas mitológicas. Era imposible avanzar en línea recta: los corredores se quebraban tras cortinajes inútiles y al doblar las esquinas aparecían inesperadas escaleras. Cuando encendía la luz de mi cuarto recordé el título de la canción que había escuchado en la radio: *Bahía*. Era una habitación tan alta y tan estrecha que parecía tener sólo dos dimensiones. Me quité la gabardina y el sombrero, me senté en la cama, mirando la maleta cerrada frente a mí. No la abriría, desde luego, no haría nada, ni una llamada de teléfono. Que ellos vinieran a buscarme, que pidieran disculpas y siguieran inventando misterios. Sin quitarme los zapatos me tendí en la cama, cubriéndome con una colcha fría y más bien rígida, con los ojos cerrados, con la boca tapada por el embozo. Como una cálida marea que viniera hacia mí anunciándome el sueño recordé la voz latina y el ritmo tardo de la música que la envolvía, espeso y cálido como un movimiento de caderas. Temblaba un poco, tal vez tenía fiebre, y no quería abrir los ojos ni que sonara el teléfono ni salir del hotel. Medía el tiempo de la quietud en fracciones de segundo, escuchando en la almohada los latidos de mi sangre y el tictac de mi reloj como si auscultara a un cuerpo extraño tendido junto a mí. Me paralizaba un disperso deseo de estar en otra parte o de permanecer así de inerte para siempre, con los ojos cerrados.

Durante unos minutos, enrarecido por la fiebre, soñé que estaba en Inglaterra, en mi casa, y que oía el sonido insistente de la campanilla de la tienda. Era noche cerrada y el viento traía un estrépito de guijarros empujados por el mar, y me parecía un poco sospechoso que alguien, a esa hora, hubiera salido a la calle para comprar un grabado antiguo. Luego la campanilla fue el timbre del teléfono. Todavía dormido lo descolgué y no estuve seguro de que fuera a mí a quien le hablaban. Como asentir era el modo más rápido de lograr que la voz metálica callara dije que sí varias veces y colgué. Habría deseado que cerrar los ojos de nuevo me bastara para borrar automáticamente el mundo y detener el tiempo. Pero el recepcionista había dicho que un joven español solicitaba permiso para visitarme. Me puse en pie, lento y entumecido, apoyándome en el respaldo de la cama, guardé la maleta en el armario y me lavé la cara con agua fría, mirándome en el espejo mientras me secaba. Mis facciones no eran exactamente iguales a las que vi una hora antes en el lavabo del aeropuerto: cada ciudad, pensé, cada viaje, nos transfigura a su medida, como un amor reciente.

Oí pasos que venían por el corredor. Todavía ante el espejo, con la toalla húmeda en la mano, espié en mis pupilas el rápido brillo del acecho. Hasta que no llamaron a la puerta no se me ocurrió pensar que podía estar cayendo en una trampa. Instantáneamente recordé la expresión del recepcionista al tenderme la llave: tenía, como todos, una sonrisa de delator afable. Pero quién iba a saber, a quién le iba a interesar mi viaje o las vanas consignas que tan incrédulamente obedecía, los documentos o los fajos de dólares usados que tal vez había traído en el doble fondo de la maleta. ¿También yo jugaba a la mentira y sin darme cuenta tendía a confundirla con la realidad, y casi a preferirla? Llamaron otra vez, me puse desganadamente la corbata y abrí.

—Capitán —dijo el hombre joven, sin entrar todavía—. Capitán Darman.

Parecía haberse vestido y no afeitado en varias semanas la barba por fidelidad exclusiva a la literatura de las descripciones policiales. Usaba un anorak azul con las solapas levantadas y una gesticulación recelosa. Me pregunté en seguida por qué lo habían enviado a él y no a cualquier otro de torpeza menos evidente, qué razones tuvieron para urdir una cita que ellos debían saber fracasada de antemano, desde el instante en que abrí la puerta y miré su cara. Tal vez era una especie de prueba a la que me sometían, o ni siquiera eso, una supersticiosa dilación imaginada para que todo sucediera con la lentitud de lo irreparable.

No le estreché la mano. Cerré la puerta y le di la espalda para abrir el armario y dejar la maleta sobre la cama. La miró como si no supiera que debía llevársela. Del bolsillo de su anorak sobresalía una revista con los bordes mojados. Sus botas dejaban huellas de barro en la alfombra. Sonreía y hablaba casi sin separar los labios, moviendo la boca como un pez bajo el agua.

—Al final hubo contraorden —me dijo—. Por eso no pude ir al aeropuerto, capitán.

—No me llame capitán.

—Todos me hablan de usted. Los viejos, sobre todo. Quiero decir, los de antes. Nosotros somos recién llegados. Lo sabemos todo por los libros. ¿Ha contado el dinero?

—Qué dinero —vi que se le borraba la sonrisa.

—El de la maleta. Meses esperándolo.

—Yo nunca sé lo que traigo.

Con una familiaridad irritante, con el aire cándido de un escolar que ocupa su banca en un aula, se sentó en la cama y extrajo del interior de su anorak una llave muy pequeña sujeta a una anilla metálica. La hizo girar en el dedo índice y luego palmeó la maleta, sonriendo, como si ése fuera un gesto de camaradería hacia mí. Yo estaba en pie, mirándolo, preguntándome qué tenía que ver con ese hombre, cuántos minutos faltaban para que se fuera. En algún archivo de Madrid habría una foto de su cara y una cartulina con su nombre y sus huellas digitales. Luque, así me dijo que se llamaba. Dos años en París, me explicó luego con murmurada humildad y evidente soberbia, descargando cajas de frutas en los amaneceres de Les Halles, y ahora aquí, en Italia, enlace para los correos que llegaban del Este, emisario de otros que no iban a los aeropuertos ni visitaban hoteles. Mansamente insistía en llamarme capitán para que yo supiera que sabía olvidadas historias. Afortunado usted, me dijo, que vuelve al interior, y pareció arrepentirse de divulgar un secreto. Esa palabra, el interior, era en su voz el talismán de una geografía cifrada.

—Mañana vuelvo a Inglaterra —desmentí—. ¿Me ha traído el pasaje?

—Le he traído instrucciones, capitán —dudó un instante, como si temiera enojarme—. Mañana volará usted a Madrid, vía Roma.

—Estuve en Madrid hace muy poco. Todavía no es prudente volver.

—Ahora es distinto, capitán —ya no sonreía, y ni siquiera parecía tan joven como unos minutos antes. A medida que hablaba, separando tan débilmente los labios que era muy difícil entenderlo, sus gestos y su voz adquirían una desesperada intención de autoridad. Había estado fingiéndose dócil y ligeramente amedrentado por mi presencia, pero quería hacerme saber que esa actitud era sólo preludio de las órdenes inapelables que ahora me iba a transmitir. Solemne como un mensajero se puso en pie, guardó la llave en un bolsillo y dio unos pocos pasos, examinando sin interés la altura del techo y las láminas de la pared. También era más alto y me miraba a los ojos, pero su voz siguió filtrándose entre los labios tan inaudiblemente como un rezo. Le habían dicho que dijera ciertas palabras que él no comprendía del todo, que pronunciara un nombre. Lo hizo no para obtener una respuesta, sino para advertir en mis ojos una súbita expresión de recuerdo que tal vez le daba miedo.

—Acuérdese del caso Walter, capitán —dijo, arañándose la barba, aceptando que era un intruso, que yo lo había detestado desde que lo vi y sólo deseaba cerrar la puerta y olvidarlo y olvidar ese nombre que llevaba tantos años sin oír—. Usted lo conoció muy de cerca, no de oídas, como yo. Yo estoy aquí y pasa el tiempo y no ocurre nada. No ha ocurrido casi nada desde que nací. Todo acabó cuando ustedes eran jóvenes.

La habitación era tan estrecha que su aliento y su olor a ropa húmeda me daban en la cara. «Está borracho», pensé, «está borracho o tiene miedo de algo y por eso no llegó a tiempo al aeropuerto».

—El caso Walter se mantuvo siempre en secreto —dije—. Nadie debe hablar de él.

—Yo no soy nadie —se apresuró a decir, como si solicitara mi perdón. Oí el roce de sus uñas entre los duros rizos de la barba—. Me han enviado a hablar con usted porque no soy nadie. Quieren que no se sepa que usted va a ir al interior. Que llegue a Madrid y haga su trabajo y se vuelva a Inglaterra cuanto antes. Igual que entonces. ¿Va entendiendo?

Dije que no: mirándome todavía a los ojos pareció desvanecerse como una sombra sin cuerpo. Le di la espalda y miré hacia la calle. Hombres solos y embozados caminaban aprisa bajo una llovizna de aguanieve. Por encima de los tejados, tan irreal y cercana como un espejismo, fosforecía casi blanca la cúpula de la catedral, y tras ella el cielo bajo y deslumbrado por la nieve y los focos cobraba un frío resplandor de incendio. Recordé el olor del aire entre los árboles que rodeaban el aeropuerto. Su inmovilidad y su tibieza me habían anunciado la nieve sin que yo lo advirtiera. Cerré los altos postigos y dije otra vez que no, de una manera general, negando toda complicidad o evidencia. Él aún no se rindió.

—También ahora hay un traidor entre nosotros

—dijo en un blando susurro, y respiró por la nariz, arañándose el pelo sucio de la nuca—. Casi nadie sabe que lo es, pero tenemos pruebas. Pruebas indudables. El martes debe acudir a una cita con alguien que llegará de París a entregarle unos documentos. Irá usted. Como entonces.

—¿La cita es en Madrid?

—En un edificio que está cerca de la estación de Atocha —Luque sacó de su anorak una tarjeta de visita que tenía algo escrito a mano en el reverso—. La dirección la tiene aquí.

Noté que ese nombre, Atocha, se me había vuelto exótico, y que Madrid también era para mí una ciudad extraña, la clase de ciudad menor, centroeuropea o nórdica, de la que uno casi nunca posee imágenes veraces. Luque dijo que, cuando yo llegara, aquel hombre, el traidor, me estaría esperando. Describió un almacén abandonado, un edificio de ladrillo rojo en cuya fachada aún permanecía un antiguo anuncio de máquinas de coser. Miré la tarjeta sin tocarla. La dirección estaba escrita con una penosa caligrafía de extranjero. Me pregunté quién habría trazado esas vacilantes mayúsculas como firmando una sentencia, en qué lugar lejano. Creían sobre todo y casi únicamente en eso, en la eficacia mágica de las palabras escritas e inmovilizadas en consignas, en su clandestina transmisión. Palabras impresas en el papel o en el aire, murmuradas al oído de alguien que las guardaría y las repetiría, intangibles viáticos escondidos en maletas de doble fondo. No quise preguntar el nombre del traidor ni por qué sabían que lo era.

—¿Cómo lo reconoceré cuando lo vea?

—Muy fácil —Luque sonreía arañándose la barba:

sin duda estaba improvisando—. Él es el único que conoce ese lugar. Nadie más tiene llave.

—¿Ni la policía?

—Los nuestros vigilan día y noche el edificio —hablaba mirándose las puntas sucias de las botas, jugando con la tarjeta entre los dedos, como si tocara a un insecto—. No habrá peligro para usted. Podemos garantizarlo.

—No pueden —lo interrumpí con terminante suavidad, bajando un poco más la voz, envuelta en una tibia ira—. También me garantizaron que usted me esperaría en el aeropuerto. La cita era en la cantina, ¿se acuerda?

—En el periódico venían equivocados los horarios —dijo Luque, satisfecho, casi sorprendido de haber encontrado tan rápidamente una respuesta, indefenso—. Cómo íbamos a saberlo.

De modo que consultaban el periódico para saber cuándo llegaría un mensajero. No sentí rabia, sino un acceso de impaciente piedad por todos ellos y sobre todo por mí mismo, por lo que había sido veinte o treinta años atrás y ya no era. Fui otro, un catálogo de desconocidos cuyas fotografías había ido quemando o perdiendo como se deshace un asesino de su pasado culpable, como un traidor abjura de su lealtad y su memoria: acuérdese del caso Walter, había dicho Luque. Temí haberme parecido alguna vez a él, y para comprobar que no era cierto decidí insultar y concluir.

—Márchese —dije—. Dígales que no iré a Madrid. Que le he dicho que estoy enfermo, pero que usted se ha dado cuenta de que es mentira. Que tengo miedo, por ejemplo. Vaya y dígales eso.

—Capitán —Luque movía los labios, pero sus palabras tardaban en oírse—. Nadie va a creer que usted tiene miedo. Nadie.

Permanecía en pie, opaco y obstinado, ocupando como un dique el espacio entre la pared y la cama. Sin mirarlo ya, borrándolo, le toqué el codo y lo aparté como si oprimiera el resorte automático de una puerta muy pesada. Volví a verlo en el espejo del cuarto de baño, quieto en el umbral, arañándose la barba con un ruido de carcoma. Me lavé la cara y las manos con el agua helada y luego me peiné despacio y me ajusté la corbata, oyéndolo respirar. Sin volverme le dije otra vez que se fuera, pero no se movió.

—Capitán —dijo, inalterable, abrumado por el infortunio—. Ese hombre ha deshecho nuestra organización en Madrid. Era el responsable máximo y los ha ido entregando a todos, uno a uno. No merece seguir viviendo, capitán. Si yo pudiera, si me dejaran, iba mañana mismo a Madrid y lo mataba con mis manos. Como hizo usted entonces.

—Yo no he matado a nadie con mis manos —dije, examinándolo ahora desde otra perspectiva, la de su improbable coraje—. ¿Sabe manejar una pistola?

—Hice un curso de comandos, el verano pasado. El instructor me habló de usted.

De nuevo le brillaban los ojos: había conocido a los héroes y era su discípulo, estaba ante uno de ellos y no aceptaba que yo no quisiera parecerme a las cosas que le habían contado de mí y a los designios de su imaginación. Con un gesto lo hice apartarse y luego abrí la puerta de la habitación y me quedé junto a ella. Una corriente de aire frío y húmedo entró desde el pasillo.

—También puede decirles que he perdido facultades. Que ha visto que me tiemblan las manos, o que llevo gafas de miope. Elija.

—Capitán —dijo Luque, pero ya no creía que esa palabra sirviera de conjuro. Se miró las manos y no supo qué hacer con ellas y las hundió en los bolsillos del anorak. Salió sin mirarme, con la cabeza baja, con el aire de humillación y desamparo de un vendedor a domicilio. Cerré la puerta y me quedé un instante al acecho tras ella, sin oír los pasos de Luque, imaginándolo quieto y perdido en el corredor. Miré la cama y volví a abrir, temiendo que ya se hubiera marchado. Caminaba hacia el ascensor con desganada lentitud, y al oírme se dio la vuelta con un impulso de esperanza.

—Oiga —le dije—. Se le olvidaba la maleta.

3

Yo fingía la ira con el mismo celo con que sabía imi-
tar la serenidad o la decencia, con la pericia en el detalle de quien falsifica un documento secundario, una
firma, para obtener con mezquindad una ganancia
irrelevante. Había aprendido que es posible volverse
invulnerable actuando con una ficticia lealtad a los va-
ticinios de los otros: porque Luque había nombrado
el caso Walter con una expresión de miedo en su mirada, convencido de que iba a provocar en mí un recuerdo doloroso, yo fingí cuidadosamente que su su-
posición era cierta, y así el miedo se fortaleció en él,
y la certidumbre de que había fracasado. Pero nada
de eso era verdad, nada sobrevivía en mí de mis vidas anteriores, ni el arrepentimiento, ni el orgullo,
y hasta que llegué a Madrid y vi escrito el nombre
de Rebeca Osorio en las novelas tiradas junto a la cama del almacén yo había estado creyendo que no era
del todo cierto mi viaje y que el hombre a quien me
habían dicho que matara no existía de verdad. Entre
mi pensamiento y mis actos, entre mi imaginación
y mi vida, hubo siempre hasta entonces, y desde no
sabía cuándo, una película de asepsia que roturaba en
torno mío el espacio sagrado de la soledad y la mentira. También fingía cuando estaba solo, y en mis jue-

gos de sombras no intervenía la voluntad ni casi la conciencia, sino un hábito de simulación tan antiguo como el que me inducía a pensar y a tener sueños en inglés. De modo que durante la visita del torpe enviado, ese Luque, no había sentido verdadera rabia ni verdadera piedad, únicamente la irritación física de no estar solo en una habitación tan estrecha, una molestia intensa, pero de segundo orden, semejante a la de un picor en la piel.

Aún notaba como una ofensa el olor a plástico húmedo del anorak. Abrí del todo la ventana, que era alta y ojival como una capilla gótica. Sobre los tejados, alrededor de la cúpula de la catedral, los últimos copos de nieve se dispersaban en la oscuridad y en el viento. Pensé sin lástima en Luque, en su regreso cobarde al lugar donde lo estaban esperando, solo y muerto de frío y desengaño por las calles desiertas, la cabeza hundida entre las solapas del anorak, los ojos fijos en el suelo, en la nieve sucia que tal vez le calaba las botas de emigrado pobre, como los de hace un siglo, como los conspiradores barbudos de las litografías.

Miré el teléfono, que estaba en una repisa sobre la cabecera de la cama. Muy pronto volverían a llamarme, y entonces no dirían las mismas palabras y sería otro el tono de sus voces. Yo desconfío siempre del silencio y la inmovilidad de los teléfonos. Recordé mi casa como si la viese desde fuera, a esa misma hora de la noche, con los postigos cerrados y un globo de luz tras las cortinas de alguna habitación en el piso de arriba. Imaginaba el interior como uno de esos cuadros en los que la única claridad procede de una vela. Bastaría que yo descolgara el auricular y marcara una cifra para que en la inconcebible lejanía de la costa oscura de Inglaterra empezara a sonar otro teléfono, vinculando así dos lugares, dos noches del invierno, el escándalo de la tempestad del mar y el silencio de la nieve, dos conciencias en ese instante más ajenas entre sí que las de dos desconocidos que leen simultáneamente la misma noticia en el periódico y nunca se cruzarán ni se verán.

Cuando ellos me llamaban, yo me iba y regresaba sin explicación y algunas veces sin aviso, inventando mentiras razonables que habitualmente confirmaba el azar, dejando breves notas con instrucciones sobre la mesa del comedor o en el mostrador de la tienda. Luego traía, cuando regresaba, aparte de los libros adquiridos en algún anticuario, pequeños objetos de recuerdo y postales de ciudades que no eran las mismas en las que había estado. Por precaución nunca llamaba por teléfono, ni siquiera en los viajes que no eran clandestinos. Aquella noche, en el hotel de Florencia, tuve la tentación de llamar. Descolgué el teléfono, repetí mentalmente el número de mi casa. Después volví a posarlo con suavidad en la horquilla y la visión de un gabinete en penumbra se desvaneció ante mí como una palabra escrita en el vaho de un espejo.

Había dejado abierta la ventana, y otra vez tenía frío y un poco de fiebre. Entonces sí me acordé del caso Walter. Muchos años atrás yo había ido a España para ejecutar a un traidor. No muchos años, tal vez menos de veinte, pero todo el pasado estaba recluido aún en una lejanía unánime, no regida por el tiempo, como la de la adolescencia y la guerra. Yo conocía a Walter y estaba seguro de su culpa. Du-

rante dos semanas lo perseguí por estaciones de ferrocarril y ciudades cuyos nombres se me olvidaron
después. Una noche, en un arrabal, junto a un des-
campado de malezas, lo vi correr hacia el muro de
una fábrica que tenía altas ventanas en cuadrícula con
todos los cristales rotos. Ya no era un hombre, ni siquiera un culpable, era una mancha blanca que se movía y trepaba por el terraplén, un animal huyendo.
Separé las piernas, levanté entre las dos manos la pistola e hice fuego. El eco multiplicó lejanamente los
disparos, pero no se encendió ninguna luz en las ventanas de las casas próximas. Todavía no estaba muerto cuando me acerqué a él. Yacía de espaldas y tenía
los ojos abiertos, y al respirar sangraba por la nariz
y la boca. Intentaba desesperadamente hablar, pero
lo ahogaba la sangre, y decía no con la cabeza y arañaba la tierra con las dos manos, como asiéndose a
ella para no morir. Siguió girando a un lado y a otro
la cabeza hasta que le disparé por última vez, borrán-
dole la cara.

Cerré la ventana y apagué las luces. No acertaba
a recordar el apellido de Walter. Había dejado abiertos los postigos exteriores, y el brillo de la nieve sobre los tejados inundaba la habitación de una helada
claridad como de plenilunio. Era posible que no usa-
ran el teléfono, que vinieran directamente a buscarme. Mostrarían primero el estupor, la confianza herida, las apelaciones al pasado, y luego la firme coac-
ción de las órdenes, la ira tranquila de los conjurados y los elegidos, como si todavía tuvieran un porvenir y madaran ejércitos. Sin enceder la luz, con ademanes de emboscado, busqué el sombrero, el abrigo
y la llave y salí de la habitación. Por salones vacíos

y corredores que no estaba seguro de haber cruzado antes, llegué al ascensor, que ahora —lo noté muy vagamente, y demasiado tarde— era un poco más grande y no estaba tapizado en rojo. No salí a la recepción cuando se abrió la puerta automática, sino a un sótano bajo cuyas arcadas me perdí respirando con dificultad un hálito oscuro de humedad y sumidero. Con una ligera y a la vez oprimente sensación de asfixia, de mal sueño todavía controlado, recorrí lugares que parecían pertenecer a un hotel de otra ciudad, más vacío y más grande. Subí a tientas una escalera de ladrillo, empujé una puerta, me aturdió de golpe la luz del vestíbulo.

El recepcionista me miró como a un aparecido. En mi conciencia, turbia por la extrañeza y la fatiga de un viaje tan largo —la soledad en los aeropuertos y en los hoteles tiene efectos narcóticos— todas las cosas sufrían veloces modificaciones menores, y eso también era un aviso que no supe atender cuando todavía estaba a tiempo. Visto desde otro ángulo, el vestíbulo del hotel no era exactamente como yo lo recordaba, y el recepcionista medía unos veinte centímetros menos que cuando lo vi por primera vez, porque ahora no estaba detrás del mostrador, donde sin duda había una tarima oculta. Me saludó con una rápida y efusiva abyección y siguió limpiando de colillas, con unas pinzas de depilar, la grava prensada de los maceteros. Igual que su tamaño, su dignidad había padecido en las últimas horas una reducción alarmante. Supuse que cuando se quitara el uniforme y saliera a la calle terminaría de convertirse en un enano. A veces yo tenía sueños así: hablaba con alguien que se iba encogiendo y que reía a carcajadas y era al final un ratón o una piedra, una criatura diminuta poseída por una dicha feroz que se alimentaba de escarnio.

En la calle el aire era más tibio que en el interior del hotel. Yo caminaba procurando orientarme por la cúpula de la catedral, volviéndome a veces, cuando escuchaba pasos, para comprobar que nadie me seguía. Cómplice de su ficción, igual que ellos de la mía, yo estaba seguro de que muy pronto empezarían a buscarme y actuaba como si estuviera huyendo, imitando antiguas astucias de fugitivos que casi siempre fueron apresados, normas tal vez aprendidas en las películas de gangsters, en manuales rusos traducidos a un patético español, la clase de libros que ese tipo, Luque, leería con severo recogimiento en sus cursos de comandos, no para aprender nada de sus páginas, sino para ingresar imaginariamente en la comunión de los héroes.

Al llegar a la plaza de la catedral me di cuenta de que ya me habían encontrado. El mismo automóvil que me trajo del aeropuerto estaba parado en la esquina de una calle lateral, sin luces, con el motor en marcha, con los cristales empañados. Decidí fingir que no lo había visto. Caminé en diagonal hacia la parte más oscura de la plaza, donde me ocultaría la sombra de la catedral. Ni el coche se movió ni sus puertas se abrieron. Me irritó deducir que alguien a quien yo no veía estaba siguiéndome a pie. Subí la escalinata, blanca de nieve no pisada, me detuve ante las figuras esculpidas en las puertas de bronce, inclinándome como para distinguir más de cerca un detalle. Entonces sí escuché algo, a mi izquierda, un crujido de pasos. Fui alejándome despacio en dirección contraria, hacia el campanario y el ábside. Al fondo, justo al pie de la cúpula, apareció una figura solitaria. El tamaño de la catedral y las dimensiones de la plaza la hacían parecer muy pequeña y lejana, como las que suelen verse en los grabados de ruinas antiguas. Hice un rápido ademán de volverme: como si frente a mí no hubiera un hombre, sino un espejo, la figura se movió en un sobresalto simultáneo, y luego adoptó una quietud simétrica a la mía, porque en lugar de retroceder yo me incliné para mirar el pie de una columna. Con las manos en los bolsillos de su anorak, Luque venía cautelosamente hacia mí, como quien se acerca a un animal y tiene miedo de espantarlo.

—Capitán —dijo, y en su voz había alivio y casi reverencia, pero también un leve tono de desquite—. Debe usted venir conmigo. El coche está esperándonos.

Me volví hacia donde él señalaba, haciendo como que veía por primera vez el automóvil. Me encogí de hombros, saqué los guantes y me los puse muy despacio. Mi complacencia en la lentitud desvaneció en seguida su firmeza. Extendiendo los dedos para ajustarme bien el cuero flexible de los guantes lo miré a los ojos. Veinticuatro o veinticinco años, calculé, veintiséis como máximo. Pensé con extrañeza que yo tendría más o menos su edad cuando maté a Walter.

—¿Qué le han dicho que haga si me niego a ir con usted? —le dije.

Antes de que pudiera contestarme —se movieron sus labios, pero aún no sonaba la voz— eché resueltamente a andar, porque no había considerado la posibilidad de una respuesta. Cuando nos acercamos al coche los farós se encendieron con la brusquedad de un despertar y creció sordamente el ruido del motor. Yo andaba delante, sin mirar a Luque, que me seguía con una especie de cansada lealtad, arañándose la cara, chapoteando con sus botas sobre el lodo y la nieve teñidos de amarillo por la luz de los faros.

Había otro hombre sentado junto al conductor: grande y ancho, con el sombrero en la nuca, con un abrigo que le hacía parecer incómodo. Ninguno de los dos miró hacia atrás cuando subimos al coche, acomodándonos en el asiento posterior con cierto embarazo, como dos desconocidos que acaban de asistir a un funeral. Pero yo veía en el retrovisor la inquisición de sus miradas, y no estuve seguro de que el conductor fuera el mismo que me había recogido en el aeropuerto. En otro tiempo esas cosas no me sucedían. Veía una cara al azar durante unos segundos y al cabo de un año era capaz de reconocerla con inmediata precisión y de saber dónde la vi. Ahora los rostros y los lugares se modificaban cada minuto en mi imaginación como arrastrados por el agua, y mi memoria era a veces un trémulo sistema de espejos comunicantes.

Veía esfumarse las calles y las luces y las zonas de sombra de la ciudad entre rachas de nieve. Fachadas de iglesias, plazas nevadas con estatuas y fuentes, escaparates de maniquíes congelados en cera, fanales de la noche. De vez en cuando limpiaba el cristal de la ventanilla para que el vaho no me ocultara las calles. Vi pasar los puentes y los pretiles de un río y luego el coché giró a la izquierda y entró de nuevo en la ciudad, cruzando plazas que algunas veces eran como la de la catedral. ¿Estaban dando vueltas para que yo no supiera a dónde íbamos? A mi alrededor el aire tenía una consistencia cálida de respiración y paño húmedo de abrigos. Cuando el coche se detuvo ante un semáforo en rojo imaginé que abría de golpe la puerta y escapaba. Tenía el hábito de calcular las vidas posibles que iban quedando al margen de cada uno de los actos que no llegaba a culminar. Yo mismo me multiplicaba invisiblemente en otros hombres: el que habría subido esa noche al avión de regreso a Milán, el que pudo eludir sin esfuerzo la persecución de Luque, el que viajaba a Madrid, el que no había salido de Inglaterra. En torno a mí se movían las sombras de un porvenir que se volvió pasado sin existir nunca.

El coche abandonaba otra vez el centro de la ciudad y las proximidades brumosas del río y se adentraba en grises barrios de aire neutro a los que la nieve no había llegado aún. Sin saber dónde ni cuándo, yo recordé otro país y otra noche remota en la que había cruzado calles como éstas, abandonadas y limpias, sin señas precisas que las identificaran, tan extrañas a toda presencia o voluntad humana como un paisaje de la Antártida.

—Estamos llegando —dijo animosamente Luque, y le tocó el hombro al conductor, señalándole algo: una luz más intensa al fondo de la calle.

Era una zona de casas bajas, encaladas en ocre, tal vez un suburbio recientemente agregado a la ciudad, y allí el aire olía de otro modo, a asfalto mojado, a árboles muy jóvenes. Al bajar del coche noté al mismo tiempo la persistencia del frío y un rumor de conversaciones y de música. Estábamos frente a una casa grande o un garaje que tenía sobre el portal un letrero de altas iniciales amarillas y dos banderas inclinadas, una roja y la otra italiana. Del interior venía la voz aguda y aceitosa de un hombre que cantaba muy cerca del micrófono una canción tropical. *Bahía*, recordé, casi con gratitud. Parecía que el invierno fuera a detenerse a un paso de la calle, al otro lado del portal entreabierto, y que al pisar el sendero que trazaba la luz sobre la calle empedrada ingresaríamos en una noche más cálida, con un mar pintado y una vegetación de estudio cinematográfico bajo el brillo ardiente y solar de los focos, en otro presente simultáneo. Cuando entré en el portal, siguiendo a Luque, oí una lenta música de acordeón y aplausos y risas de mujeres.

4

Lo que de lejos me había parecido una decente casa de suburbio con jardín era en realidad uno de esos maltratados palacios italianos que tienen en los bajos grandes carpinterías y almacenes. En uno de ellos, hacia mi derecha, se celebraba el baile, tras unos cortinajes entornados por los que fluía hasta nosotros la música como una raya de luz. Fui perdiendo las voces y la vibración caliente de la música mientras subía con Luque por una curva escalinata de mármol, viendo salones y vagas oficinas cerradas y una sala de billares donde las bajas lámparas de luz amarilla resplandecían sobre los tapetes verdes con una densa transparencia de agua estancada. Por segunda vez aquella noche se me quebraba el orden del espacio: cuando creía estar ya muy lejos de los lugares donde sonaba la música, una puerta que se abría me la devolvió. Ahora sonaba una canción muy rápida, ritmada por palmas unánimes y golpes de pisadas sobre una tarima. Pero la habitación donde entré parecía insonorizada por la misma opacidad del silencio.

A ras del suelo había una extraña ventana semicircular. Un hombre en cuclillas miraba atentamente por ella: daba a la parte alta del salón de baile. La habitación era muy grande, pero había sido desigualmente amueblada. Una mesa metálica de color gris, unas pocas sillas de madera, un perchero vacío, un escritorio como de 1930. Había dos hombres esperándome detrás de la mesa, pero sólo uno de ellos estaba sentado. El tercero, el que miraba por la ventana, se volvió un momento hacia mí y luego siguió acuclillado con la cara muy cerca del cristal, fumando. Casi toda la luz de la habitación procedía de la ventana, y daba a las cosas, iluminadas desde abajo, una dimensión oblicua de lejanía, como la de la música. Tardé un poco en darme cuenta de que Luque se había marchado.

—Darman —dijo el que estaba sentado, y yo apenas reconocí su voz—. Cuántos años.

—No muchos —me quedé en pie frente a él, esperando que me invitara a sentarme, pero no lo hizo—. Media vida.

Me miró como si al cabo de unos minutos debiera establecer un diagnóstico sobre mi salud o mi entusiasmo. Yo todavía no me acordaba de su nombre, o no quería. Se echó hacia atrás en la silla frotándose los ojos con el pulgar y el índice, y cuando volvió a abrirlos, enrojecidos tras los cristales de las gafas, pareció que lo sorprendía mi presencia.

—Me aseguraban que no vendrías —dijo—. Que ya no quieres complicaciones en tu vida. Te entiendo: no somos jóvenes, Darman. Pero yo sabía que ibas a venir.

—No vine. Me han traído.

Entonces me acordé: se llamaba Bernal. Después de la guerra me había encontrado con él sólo dos o tres veces, siempre en lugares como aquél, en oficinas o pisos medio deshabitados. A lo largo del tiempo había progresado hacia jerarquías enigmáticas: ahora ya poseía el derecho a ser el único que permaneciera sentado, y eso daba a nuestro encuentro un cariz de audiencia.

Ante él había un sobre grande, un vaso, una botella de agua mineral sobre una servilleta. Cuando me senté sin que me lo pidiera y lo vi más de cerca comprobé que no había envejecido. Persistía en sus rasgos, en su manera de peinarse, una desecada y rígida juventud que su voz y su ropa muy pronto desmentían, y también las manchas pardas en las manos. Llevaba uno de esos trajes que pueden verse en el escaparate polvoriento de una tienda condenada a la quiebra, y sus gafas no sólo eran iguales a las que había usado siempre, sino que probablemente eran las mismas. El tamaño de los dientes le abultaba la boca y exageraba contra su voluntad la amplitud de sus breves sonrisas: algunas veces parecía reírse a carcajadas silenciosas.

—Te han traído —dijo—. Debes disculpar a Luque. Es un recién llegado, comete errores todavía.

La música había cesado entre aplausos. El hombre parado junto a la ventana se puso en pie y aplastó su cigarrillo en el suelo, acariciándose las rodillas doloridas por la inmovilidad. En la sala de baile empezaron a tocar un bolero muy lento con amortiguadas mandolinas.

—Darman —dijo seriamente Bernal, tras una sonrisa que pareció obedecer a un impulso eléctrico—. Ya sabes que nos han traicionado.

Encendió una pequeña lámpara que había sobre la mesa. Buscó algo en el sobre, entre los papeles, una foto.

—Es éste, el del bañador. ¿Lo conoces? No, cuando él llegó a la dirección tú ya estabas casi retirado. Últimamente se llamaba Andrade. Volvió al interior hace año y medio. A los tres meses empezaron a caer uno por uno todos los que tenían algún trato con él. No podíamos explicarnos cómo era posible que la policía supiera tanto, tantas cosas secretas. Imprentas, buzones, sitios de reunión, todo. Empezamos a sospechar de él: a él nunca lo atrapaban, se iba siempre cinco minutos antes de que llegara la policía. Lo detuvieron hace un mes. Nos llegaron mensajes: que lo estaban torturando y se mantenía en silencio, y nosotros ya no sospechábamos. Pero hemos sabido algo, nos lo contó alguien que simpatiza con nosotros, ya sabes, uno de esos que no hacen casi nada, reparte propaganda a veces, pero tiene muchos hijos, le da miedo. Trabaja en un banco de Madrid, en la misma oficina donde Andrade se abrió una cartilla de ahorro. Así fue como se conocieron: hablaban, luego tomaron café juntos, Andrade lo captó. Hace un mes, días antes de que Andrade fuera detenido, hubo un ingreso muy fuerte en su cartilla. ¿Origen? Desconocido. Hay algo más. El lunes llamó desde Madrid. Se había escapado. Lo iban a trasladar a la cárcel y pudo huir del furgón de la policía. Como lo oyes. Esposado, rodeado de guardias, en las mismas puertas de la Dirección General de Seguridad. ¿No es un milagro, Darman? Ahora está en ese refugio cerca de la estación, esperando un enlace. Nos pide dinero y un pasaporte para salir del país. Tú serás quien se lo lleve todo.

Había en sus gestos y en la manera en que elegía y luego pronunciaba cada palabra como un avaricioso instinto de acaparación: muy inclinado sobre la mesa, mirándome sin parpadear, abarcaba entre sus pequeñas manos los papeles y la fotografía de Andrade, el vaso de agua mineral, la botella, hasta la luz escasa de la lámpara, rodeándolo todo, cercándolo, aproximándose a mí para que yo también quedara incluido en el círculo de su posesión, bajando mucho la voz para que no saliera de ese espacio, recluido y alerta sobre sí mismo, pensé, como un joyero que a altas horas de la noche dispone sobre su mesa de trabajo las piezas infinitesimales de un valioso reloj. Hablaba un extraño español sin inflexiones precisas, ligeramente rancio, como su cara o su ropa, tan eficaz y neutro como el agua mineral que bebía, limpiándose luego los labios con la servilleta de papel con un aire de pulcritud eclesiástica. Entendí que el hombre que permanecía en pie tras él era alguna clase de guardián. Grande, de cara tosca y ojos tristes, con un traje de chaqueta cruzada. En cuanto al otro, el que miraba siempre hacia la sala de baile, parecía que estuviera allí por casualidad, sonriendo, sin atender a lo que hablábamos, llevando calladamente el ritmo de la música con la punta del pie.

—Darman —dijo Bernal: repetido por aquella voz mi nombre sonaba como si perteneciera a otro—. Sólo tú puedes ir sin peligro. La policía no sabe nada sobre ti. Para ellos no existes, ni siquiera te verán. Tampoco nos conviene que haya muchos de los nuestros enterados de que un traidor pudo llegar hasta la dirección. Morirá sin más, desaparecerá.

—Como Walter —dijo el que estaba de pie, haciéndome una torpe señal de complicidad o de homenaje. Bernal ni lo escuchó.

47

—Nadie sabe seguir a un hombre y manejar un arma como tú —siguió diciéndome, absorto en el sabor de un trago de agua mineral, fugazmente conmovido por una especie de improbable nostalgia—. Nadie tiene tu temple, Darman.

—Ya no soy el de antes —dije—. Todos cambiamos.

—Eso no es cierto —Bernal se irguió, limpiándose los labios. Pensé que lo hacía para taparse los dientes—. Nadie cambia. Ni ellos ni nosotros hemos cambiado.

—Él sí —señalé la foto de Andrade—. Ahora es un traidor.

—Puede que siempre lo haya sido, y que nosotros no nos diéramos cuenta. Acuérdate de Walter. ¿Durante cuánto tiempo nos engañó?

—Walter —dije—. Parece que era yo el único que no se acordaba de él.

—Olvidar es un lujo, Darman.

—Hay lujos necesarios.

—A lo mejor es eso lo que piensa Andrade —Bernal sonrió, y automáticamente se llevó la servilleta a los labios—. Necesitaba lujo y nos vendió.

—¿Por una cartilla de ahorro? En los buenos tiempos los traidores tenían cuentas numeradas en Suiza.

—Puede que también tenga una —el hombre de la ventana había hablado por primera vez. Sus palabras apaciguaron la lenta ira de Bernal, que bebió un sorbo de agua y se quedó unos segundos con la servilleta en los labios, como aliviándose una escocedura. Ahora los tres me miraban con la misma desconfianza. Me sorprendió lo exactamente que se iban pareciendo desde que yo había entrado en la habitación. Al principio sólo eran iguales sus trajes de chaquetas cruzadas: ahora ya lo iban siendo sus miradas y sus rostros, reblandecidos por la luz que subía del salón de baile, con una gravedad de facciones de goma.

Vencida la tentación de la ira, Bernal me sonrió de nuevo, un poco más rígidamente, como si padeciera un anticipo de parálisis. No habló todavía: primero vertió más agua mineral en el vaso, observando con placer las burbujas de gas que se arremolinaban en el fondo. Si me miraba tan fijo era para tenderme la trampa de su hipnosis, de la inamovible certeza de su pensamiento, para borrar en mí no la duda, sino toda posibilidad de indecisión, toda pregunta, antes incluso de que las formulara mi conciencia.

—Imagino que no has oído hablar del comisario Ugarte —dijo—. Ahora es él quien manda en la Central de Madrid. No es un torturador, como cualquiera de los otros. Es un cazador tranquilo. Habla idiomas. Nos han dicho que le gustan la pintura y el cine. Pero estas cosas casi no son más que leyendas, porque no hemos podido averiguar nada seguro sobre él. Carece de pasado. Hasta carece de rostro. No hay fotografías suyas y ningún detenido le ha visto la cara. Estoy seguro de que es él quien lo ha tramado todo. Compra a Andrade, y cuando teme que lo descubramos lo hace detener, y los otros presos pueden verlo malherido después de los interrogatorios. El traidor huye convertido en un héroe. Ése es el modo de que la traición no termine.

Me aparté de la mesa, oyendo el gorgoteo del agua mineral en el vaso, el ruido de los labios sorbiendo, del dedo índice que golpeaba el centro de la foto como para afirmar la evidencia, el rigor de la culpa.

Por la ventana, desde abajo, venía ahora un estrépito de palabras italianas. Desde donde nosotros estábamos el salón de baile se veía como una honda plaza sobre la que colgaban hileras de bombillas envueltas en faroles de papel. Una mujer bailaba sola y descalza en el centro de un corro, con una falda acampanada, con los hombros desnudos, con el alto peinado deshecho por el vértigo y la fatiga del baile. Bernal estaba junto a mí y también la miraba, con cierta curiosidad, como interesado en el estudio de alguna costumbre exótica, aunque del todo desdeñable.

—Hay algo más —dijo—. Ocurre casi siempre en estos casos, pero hasta ahora poseemos una información deficiente. Una mujer, desde luego. Cantante o algo así. No sabemos nada de ella, ni el nombre, porque Andrade se cuidó de mantener esa debilidad suya en secreto.

—Yo los vi juntos varias veces —dijo el hombre que fumaba—. Al principio la tomé por su hija. Pero no iban a los sitios donde un padre llevaría a su hija.

—Sitios muy caros, Darman —precisó Bernal—. Bares de hoteles, restaurantes de lujo. Le compraba cosas, ya sabes. En los últimos tiempos vestía muy bien, siempre corbata y sombrero, zapatos limpios. A su mujer no le hemos dicho nada todavía. Nos conviene que averigües algo sobre eso en Madrid.

Sonreía para sí mirando a la mujer que bailaba sola en el centro de la pista, su falda que giraba, plana y oblicua desde arriba, brillando bajo la luz como un nenúfar. Pero a Bernal no lo conmovía la mujer con los hombros desnudos ni la sudorosa felicidad de su cara. La miraba, pero no parecía que pensara en ella, sino en el otro, en Andrade, en su manera de obedecer las normas canónicas de la traición y la infamia, de la debilidad, del deseo. Encerrado en una habitación frente a un puñado de papeles, sin más auxilio que una pequeña lámpara insomne y una botella de agua, Bernal lo había averiguado todo tan solitariamente como resuelve un matemático un enigma no formulado hasta entonces, y eso le hacía conocer un orgullo más duradero y más intenso que la contrariedad de la traición. Al cabo de tantos años de inventar conspiraciones y enviar mensajeros a un país en el que no vivía desde su juventud, es posible que sólo concediera a la realidad una importancia secundaria: tenía un ensimismamiento de jugador de ajedrez, los hombros encogidos, la mirada fija, cruzada de rápidas adivinaciones y sospechas. Me había tendido sobre la mesa la foto de Andrade como ejecutando en el tablero un movimiento inflexible, ofreciéndome una prueba que yo no podría rebatir: nadie cambia ni elige, pensaría, en aquella foto ya estaban delatados los rasgos de un traidor. Andrade sonreía en ella, calvo y tímido, con un aire inescrutable de fragilidad y coraje, pasando un brazo sobre los hombros de una mujer corpulenta que no sospecharía su infidelidad, mirando de soslayo a una niña de nueve o diez años peinada con tirabuzones que se parece a él en la expresión de la boca, en la sonrisa débil, en una innata predisposición al desamparo.

Todavía guardo la foto. Miro la cara de Andrade, que no es de traidor ni de héroe, y sé que con los años irá cobrando una actitud de profecía, será la cara en la que estaba contenido no sólo su destino, como suponía Bernal, sino también el de cada uno de nosotros, sus verdugos, sus víctimas, sus perseguidores, los acreedores y jueces lejanos de sus actos. Aquella noche, cuando vi la foto por primera vez, cuando Bernal la empujó hacia mí con sus cortos dedos de joyero, fui inmediatamente poseído por el deseo de saber qué ocultaba esa mirada, no las razones de la traición, que no me importaban nada, aunque hubiera aceptado la obligación de matarlo, sino las del desconsuelo, porque era la mirada de un hombre extraviado para siempre en la melancolía, intoxicado por ella, ajeno a todo, a la mujer que abrazaba, a su hija, en la que acaso se reconocía con menos ternura que remordimiento, a la distancia plana del mar. Tal vez mientras miraba a la cámara estaba pensando en su traición, temiendo que la fotografía reflejara los rasgos de un impostor, o se acordaba de una mujer muy joven que lo estaría esperando en Madrid, y aceptaba el peligro de volver por la impaciencia y la necesidad de verla.

También yo iba a volver. Entre la muchedumbre de rostros de Madrid se perfilaba uno solo. Guardé la foto, el dinero, los pasajes de avión, el pasaporte falso de Andrade. Dije que no era preciso que me llevaran al hotel. Afablemente, Bernal desconfió: Luque apareció nuevamente a mi lado, como si recobrara con sigilo su cuerpo después de haberse diluido en la sombra, y me condujo de regreso por las bibliotecas y el salón de billar hasta la escalinata que bajaba al vestíbulo. Ahora había en ella grandes cubos de basura. Era muy tarde, casi las dos de la madrugada, y las cortinas del salón de baile estaban descorridas. Con aire de desaliento, con las pajaritas de los smokings desceñidas, los músicos guardaban sus instrumentos en baúles con ángulos de metal. Miré hacia arriba y vi casi a la altura del techo la ventana semicircular a la que estuve asomado unos minutos antes. Bernal aún estaría mirando, y también el otro, el más alto, el que fumaba cigarrillos. Sentada al filo del escenario, una mujer se ponía con dificultad unos zapatos blancos de tacón, muy inclinada, con el pelo sobre la cara, tocándose los pies con una lenta caricia, porque tenía enrojecidos los talones. La reconocí por los hombros desnudos, y cuando alzó la cabeza y se quedó mirándome —los músicos se habían ido, y no quedaba nadie más en el salón—, me sorprendió la súbita intensidad de mi deseo, y el dolor que había en él. Como suele ocurrirme cuando estoy recién llegado a un lugar extranjero, su cara me recordó la de alguien a quien yo no lograba identificar. Tenía el pelo casi azulado de tan negro, la piel muy blanca, rosa en los tobillos y en los talones, los ojos verdes y atentos, tenía uno de esos rostros italianos de líneas excesivas que parecen concebidos para el perfil de una moneda. Terminó de ajustarse uno de los zapatos blancos con un gesto que era al mismo tiempo de dolor y de alivio y me preguntó en italiano algo que no comprendí. Me miraba apoyando el otro pie sobre una rodilla desnuda, moviendo entre las dos manos el talón y los dedos con las breves uñas pintadas del mismo rojo que sus labios. Me di cuenta entonces, con melancolía y asombro, casi con estupor, de que habían pasado muchos años desde la última vez que fui verdaderamente traspasado por la violencia pura del deseo, por esa ciega necesidad de perderme y morir o estar vivo durante una fugaz eternidad en los brazos de alguien. Yo era nadie, un muerto prematuro que todavía no sabe que lo es, una sombra que cruzaba ciudades y ocupaba en los hoteles habitaciones desiertas, leyendo, cuando se desvelaba, las instrucciones a seguir en el caso de un incendio. Yo era exactamente igual que ese hombre de la fotografía que me estaba esperando en un almacén de Madrid. Por esa única razón vine a buscarlo.

5

Esta vez no habría nadie esperándome en el aeropuerto de Madrid, ningún amigo falso y desconocido con un periódico del día bajo el brazo, ninguna tienda de libros o de antigüedades cuya puerta debiese yo empujar a cierta hora. Se obstinaban en seguir usando periódicos como contraseña, a pesar de que no había manera más incierta de suscitar el reconocimiento: una vez, en Barcelona, yo estaba en el andén de la estación de Francia esperando a alguien que bajaría del tren con un ejemplar de *Paris-Match* bajo el brazo izquierdo, pero fueron dos los viajeros que llegaron mostrando muy visiblemente la revista, y yo sólo reconocí a mi enlace porque lo había visto con alguna frecuencia en un bar de París al que muchos de ellos acudían, y tan inútil como la revista era su nombre en clave, porque yo conocía de sobra el verdadero. Y otra vez, la penúltima, en Madrid, la cita era con alguien que llevaría el *ABC*, y pasó casi media hora sin que apareciera nadie. Eran las nueve de la mañana, y yo estaba en un café de los suburbios, y al final, cuando ya me iba, vino un joven de movimientos paralizados por el miedo que no traía ningún periódico en la mano. Pidió algo en la barra y miró cobardemente hacia el fondo del local. Vestía una gabardina vieja con una mancha en el codo, y yo en seguida supe que era él, pero no me estaba permitido identificarme, de modo que miré hacia la calle y seguí bebiendo mi café mientras lo espiaba de soslayo y adivinaba su incertidumbre y su terror. Caminó entre las mesas, tratando de fingir la soltura de quien no espera a nadie, y se sentó cerca de mí, dándome la espalda. Entonces vi que no era una mancha lo que había en el codo de su gabardina, sino unas letras que él quería mostrarme alzando un poco el brazo, como si lo tuviera escayolado. Había escrito *ABC* con bolígrafo en la manga de su gabardina. Me acerqué a él, le pedí fuego y al cabo de un rato me explicó lo que nunca imaginaron quienes en un despacho de París concertaron la cita: que aquel día era lunes y que los lunes no hay prensa diaria en Madrid...

Nadie vendría esta vez a esperarme, era preciso que nadie tuviera noticia de mi viaje, ni siquiera los más leales entre los supervivientes, ni el hombre a quien se le ordenó que guardara una pistola en la consigna de la estación de Atocha y que dejara la llave colgada de un tubo de plomo sobre la cisterna de un retrete, en un bar muy próximo cuyo nombre me fue confiado aquella noche en Florencia. Luque me lo escribió en un papel mientras me llevaba en el coche negro de regreso a mi hotel: bar Corinto, en la primera esquina del Paseo de las Delicias, un papel con instrucciones y horarios que en seguida rompí, no por prudencia, sino por costumbre, por obediencia a la ficción que me guiaba como un impulso que suspende las leyes de la gravedad y de la verosimilitud, pues desde que acepté viajar a Madrid yo era un lento fantasma que fingía que iba a matar a un hombre y se internaba en la mentira como en una selva de espejismos. En los hoteles, en los aeropuertos, a medida que progresaba mi viaje, yo iba notando con impasibilidad que me alejaba de la tierra firme y de la certidumbre de volver, que me llevaba una invisible corriente más poderosa que mi voluntad y más verdadera o más falsa que mi vida, la otra, la que seguía esperándome en el litoral de Inglaterra.

La tarde de Madrid era de un azul tan oscuro y tan húmedo como el que yo podría estar mirando si no hubiera salido de Brighton, y las luces rojas y amarillas que vi brillar en la llanura cuando el avión comenzaba el descenso parecían los faros que señalan el final de la travesía por el canal de la Mancha. El avión perdía altura con bruscos espasmos de catástrofe, y la niebla blanca alternativamente nos envolvía y se rasgaba dejando ver en lo más hondo un paisaje ocre de desiertos. Oí el chasquido de los cinturones de seguridad, se encendieron los indicadores de peligro, el ala derecha del avión se inclinaba casi rozando agrios picachos de colinas, y yo sentí en el vacío del estómago que algo irreparable me iba a suceder, la rápida agonía imaginada de los que mueren en el interior de un avión, la claustrofobia de aire enrarecido y dolor de agujas en los tímpanos que una noche de muchos años atrás me había paralizado y casi me había enloquecido cuando volaba sobre la oscuridad de los bosques de Francia y el piloto se quitó los cascos y se volvió para decirme que nos había alcanzado la metralla de los antiaéreos.

Mirando la niebla que abolía al otro lado de las ventanillas ovales el espacio y el tiempo de los vivos, recordé los haces oblicuos de los reflectores, el estrépito

irregular de las hélices, la perentoria sensación de estar
a punto de morir, fuera del mundo, en mitad de la nada, de desvanecerme sin residuos en la estela roja de
un avión incendiado. Junto a mí, maniatado por el
cinturón y la angostura del asiento, un pasajero gordo sonreía con palidez de espanto muy cerca de mi
cara, mirándome como si presintiera que aquellas facciones de un desconocido iban a ser lo último que
vería en el mundo. Pero el avión ya rebotaba sobre
la pista y se estremecía como arrebatado por una velocidad incontenible, y el lugar de la niebla lo ocupaban vertiginosos descampados de asfalto cruzados
por destellos azules y bajos edificios en la lejanía.

El viento de Madrid era más frío que el de Roma.
Breves rachas de llovizna y granizo asolaban los es-
pacios horizontales del aeropuerto. Por costumbre,
casi por nostalgia, busqué entre la dispersa multitud
de los corredores y las escaleras mecánicas una presencia o una sola mirada que se encontrara con la mía
dispuesta a reconocerme, o a confundirme un instante
con otro, una voz entre tantas voces hostiles que dijera mi nombre, pero no había nadie y yo sabía que
nadie iba a venir, y en torno mío se adensaba envol-
viéndome una embriaguez de voces, de pasos y de
rostros, una sensación de abandono y peligro semejante a la que me había inmovilizado cuando el avión
empezó a perder altura y pareció quedarse suspendi-
do en el interior de la niebla. Eran de niebla las voces, las miradas, los pasos, el tiempo trastornado de
los relojes, mi propia conciencia poseída por la soledad y la ficción. Estaba en Madrid, pero era preciso
que no quedara tras de mí ninguna señal de mi llegada, que durante uno o dos días mi presencia se disol-

viera en la ciudad hasta hacerme invisible igual que
se disolvía ahora en los laberintos de la terminal, hasta
tal punto que cuando busqué mi cara entre las que
se reflejaban en las cristaleras de la cafetería no pude
encontrarla, y cuando al fin la vi, muy pequeña y lejana, extraviada, banal, me pareció la de otro, tal vez
quien de verdad soy sin saberlo, el doble que viajó
a Madrid mientras yo permanecía acogido a la penumbra de mi tienda, un hombre alto, de pelo gris, de
edad y patria inciertas, alguien que llega a una ciudad con el propósito de adquirir libros y grabados
y que no siempre deja constancia de su paso por los
hoteles y las aduanas.

Pero en el aeropuerto y luego en el taxi que me
llevaba a la ciudad yo seguía alentando la mentira,
fortalecido por ella, imaginándome que no era cierto que había venido para matar a un hombre y calculando al mismo tiempo, como un pesado sueño parcialmente voluntario, cada uno de los pasos de la ejecución, como decían ellos siempre, puritanos de palabras, acuñadores tenaces de palabras que no aludían
nunca a la realidad, porque su único propósito era
excluirla o conjurarla para que se pareciera a otros
sueños, los suyos, que los nutrían como el agua y el
aire y tenían la extraña potestad de regir la vida de
un hombre, yo mismo, o el otro, el que estaba esperándome con las muñecas heridas por las esposas, con
la cara todavía tumefacta, cojeando, muriéndose de
soledad y de miedo, con aquella cara de padre de familia que piensa, rodeado por los suyos, en calabozos o adulterios futuros, que lee novelas en un almacén abandonado, tiritando de frío, esperando la llegada de un mensajero, su salvador, su verdugo.

Dejó de llover y vi la última luz del sol sobre los árboles y los edificios de la Castellana, una luz muy fría que destellaba contra el pálido azul en lo más alto del edificio de Correos, donde ondeaba una bandera que siguió pareciéndome intrusa y enemiga, recién plantada allí por los usurpadores. Cada vez que volvía a Madrid era como si perdiese la piel de indiferencia y olvido que el tiempo había agregado a la memoria, y todas las cosas me herían como recién sucedidas, la misma luz del pasado, los raíles de los tranvías brillando después de la lluvia sobre el adoquinado, la estatua blanca de Cibeles, no tapiada, no sepultada bajo muros de ladrillo y sacos terreros. Y al final los rumorosos árboles del Paseo del Prado y las verjas del Botánico, el hotel que ahora se llamaba Nacional, la encrucijada plana donde emergía del horizonte como un pináculo de cristal y de hierro la estación de Atocha, su forma tan extraña, como enterrada o sumergida a medias, la miseria movediza y sombría de sus proximidades.

Esta vez yo no quería dilaciones ni treguas, sólo llegar allí y hacer lo necesario y volver a mi casa en el primer avión y no acordarme de nada ni regresar nunca, y por eso ni siquiera busqué un hotel donde alojarme aquella noche, porque cada minuto que permaneciera en Madrid estaría atrapándome como una de esas ciénagas que se abren a veces en el tiempo sin permitir retroceso ni avance: dejaría en la consigna de la estación mi bolsa de viaje, y en todo caso, cuando mi tarea hubiera concluido, me iría a dormir a un hotel grande y con apariencia de recién inaugurado que había visto junto a la carretera del aeropuerto, fuera de la ciudad, en la tierra de nadie donde se levantaban armazones de edificios en construcción y cobertizos de fábricas o de almacenes de chatarra.

El taxi me dejó junto a la entrada del bar Corinto. Siempre que regresaba a Madrid me sorprendía la suciedad del suelo de los bares, las voces tan altas de los bebedores acodados en las barras de cinc. Al entrar pensé que era muy fácil que alguien se fijara en mí y lo recordara luego. Horas o días antes un hombre me había precedido, apretando muy fuerte la mano en la que escondía la pequeña llave de la consigna, mirando acaso de soslayo, igual que ahora miraba yo, por superstición, por costumbre. A medida que bajaba a los lavabos me envolvía una creciente sensación de inmundicia. Nadie limpiaba nunca ese lugar ni reparaba los cerrojos, nadie borraba las palabras y los números de teléfono escritos en los azulejos.

La llave estaba exactamente donde me dijeron. Otro hombre había bajado allí antes que yo, receloso y un poco sonámbulo, con una pequeña llave en el bolsillo o hiriéndole la palma de la mano: tal vez se había sentido un poco ridículo subiéndose a la taza resbaladiza del retrete para colgar la llave sobre la cisterna, tocando con aprensión, igual que yo, su interior de agua sucia y herrumbre, temiendo que bajara alguien, porque estaba roto el cerrojo de la puerta. Y es posible que aquel hombre no supiera nada de mí ni tampoco la razón por la que debía guardar una pistola en la consigna y una llave en el retrete de un bar. Actos amputados, invisibles hazañas culminadas en la irrealidad y en el miedo. Como en el aeropuerto, busqué en el bar Corinto una cara que me reconociera, pero ninguna podía ser la del hombre que llegó antes que yo. Repetir inversamente sus pasos me vinculaba a él en una indeseada simetría. Caminé hacia la estación por la misma acera por donde él debió de ir al bar Corinto, crucé sucios vestíbulos, anduve con aire de casualidad y pereza entre los pasillos de armarios metálicos de las consignas, buscando el número señalado en la llave, imaginando que el tacto de la pistola solidificaría en un instante la realidad, y también temía ese momento, porque en cuanto la pistola estuviera en mi mano ya sería indudable que el crimen, yo sí usaba esa palabra, era la razón de mi viaje.

La cerradura tardó un poco en ceder. ¿Y si me volviera diciéndoles que no me fue posible abrir la consigna? Casos así habían ocurrido, sumas mezquinas de azares que impedían sin remedio un gesto premeditado y necesario, una puerta que no abría, una pistola encasquillada por la humedad, alguien que era detenido por llamar equivocadamente a un timbre o que no tomaba a tiempo el tren que lo habría salvado por culpa de un dolor de estómago. Pero la llave giró, y su mínima rotación cumplió su parte de destino asignado. Miré a un lado y a otro antes de abrir del todo la taquilla. No había nadie cerca, un mendigo encorvado se alejaba buscando colillas por los rincones, pinchándolas certeramente con una aguja de punto. La pistola estaba en una bolsa de aseo que despedía un fuerte olor a loción para después del afeitado. Me la guardé en la gabardina, previendo con disgusto que el olor a loción quedaría en mi ropa, y dejé en la taquilla mi bolsa de viaje. Me sentía ligero cuando abandoné la estación, igual que siempre que llegaba a una ciudad y dejaba en el hotel mi equipaje para salir a la calle sin propósito alguno, ligero y solo, todavía libre, todavía no corrompido por ninguna decisión sin remedio, y retardaba la hora de aceptar que tenía una cita con Andrade y que iba a disparar contra él, no a su cara, me habían dicho, porque esta vez convenía que la policía lo reconociera, que supieran que habíamos ejecutado a un traidor y desbaratado su trampa.

Me sorprendía a mí mismo reflexionando en plural. La llave que giró a tiempo en su cerradura, el peso de la pistola que llevaba escondida bajo el forro de la gabardina, ya regían mis actos y mis pensamientos. Contra mi voluntad volvía a ser uno de ellos, y me imaginaba la sonrisa de Bernal si pudiera verme y averiguar lo que pensaba. Tal vez podía, y por eso estuvo tan seguro de que iba a venir a Madrid mucho antes de que yo mismo aceptara la posibilidad del viaje. Tal vez uno de ellos, de nosotros, me estaba siguiendo para dar cuenta a Bernal de cada uno de mis pasos o se cruzaba conmigo por los andenes donde ya se alineaban los expresos bajo la bóveda de hierro, orientados hacia el sur, hacia el azul marítimo que se oscurecía al fondo, sobre los raíles y los negros hangares de ladrillo. Era posible que se fiaran de mí y que me estuvieran sometiendo a una prueba. ¿Era yo el sospechoso, y no Andrade? Silbó un tren que partía, y yo pensé que él también lo había oído desde su refugio, cerca de la ventana, sin asomarse a ella, fumando con la avaricia de los presos y de los condenados. Me había dicho Bernal que fumaba cigarrillos ingleses, sugiriéndome de manera indirecta que ése podría ser otro indicio de su deslealtad, porque eran cigarrillos muy caros y muy difíciles de obtener en Madrid. Pensaban que la vida en España lo había ido corrompiendo, inoculándole los vicios y los hábitos del enemigo, el tabaco inglés, el whisky, añadieron, chantajes diarios y menores que propiciarían la traición, pues concebían el mundo ajeno a ellos como un predicador los lupanares, y cuando Bernal me contó que frecuentaba a una mujer tenía en la mirada el mismo desagrado que cuando examinaba mi gabardina blanca y mis zapatos, sospechando acaso que tampoco yo era inmune a su misma dolencia de renegado.

El azul del fondo era más claro y más limpio que el del mar, pero por los andenes y vestíbulos de la estación cundía un desorden desesperado e inmundo, una angustia de trenes perdidos o interminablemente retrasados que ensombrecía los rostros de fatiga y de insomnio y se adhería a las paredes y al suelo como una suciedad de hollín y de grasa no limpiada en muchos años, igual que la negrura de las vigas metálicas más altas, entre las que volaban pájaros solitarios chocando contra las aristas de hierro, despavoridos por el eco de los altavoces, chillando bajo las bóvedas como gaviotas lejanas. No había un solo lugar en la estación que no oliera a humo agrio de tabaco y a ropa sudada y maltratada en las noches de los trenes y en las salas de espera. Pensé con un doble sentimiento de dolor y de huida que ésta ya no era mi patria, y me apresuré a alejarme de la estación como si abandonara un barco condenado al naufragio, oliéndome la ropa, mirándome en los escaparates para comprobar que no había sido contagiado.

Para llegar a la casa donde me esperaba Andrade tenía que seguir hacia el sur las tapias del ferrocarril, por una calle baja y casi deshabitada, con mezquinas acacias y portales inhóspitos junto a los que había letreros de porcelana que anunciaban casas de huéspedes, con tabernas oscuras donde bebían ferroviarios de uniforme azul. En los lavabos de una de ellas tiré la bolsa de aseo con olor a loción y revisé la pistola: era una Luger tan enfática como un automóvil de 1940. Tenía un cargador completo, y el cañón y el gatillo habían sido cuidadosamente engrasados unas horas antes. Me sorprendió no haber sabido recordar cuánto pesaba y cómo olía. Miré mi reloj y pensé en Andrade, en sus ojos, en su pecho débil y blanco, posiblemente enrojecido por el sol de aquella playa del mar Negro. Sin duda usaba el bañador de otro y lo impacientaban las horas quietas frente al mar, y no olvidaba nunca que debía volver y que estaba condenado.

Ya era noche cerrada cuando salí otra vez a la calle. Al final del muro de ladrillo comenzaba una estepa de terraplenes y malezas en la que a veces se encendían reflectores sobre altas torres metálicas. Caminé entre laderas de escorias y naves industriales guiándome únicamente por los raíles y los cables del tendido eléctrico, tropezando en las sombras, en las pendientes de grava, que sufrían un largo estremecimiento sísmico cada vez que pasaba un tren, repentino y temible como un látigo de luces.

Reconocí el almacén por el anuncio de máquinas de coser que cubría las ventanas del primer piso. Lo vi con detalle durante unos segundos, los que tardó en pasar un tren con las ventanillas iluminadas. Una dama de principios de siglo extendía los brazos a lo largo de una máquina Singer con una sonrisa lánguida y arcaica de domadora de panteras. El resto de las ventanas y la puerta principal habían sido clausuradas con tablones en aspa. Yo tenía que dar la vuelta al edificio: en la parte de atrás, oculta por un muladar de automóviles viejos y lavadoras desguazadas, había otra puerta más pequeña. La encontré casi a tientas y llamé con los nudillos. Dos golpes rápidos, y luego uno, y por fin tres más espaciados. Instrucciones de Luque. Cumplirlas con exactitud me daba la desagradable sensación de manejar dinero falso. Volví a llamar, recordando el modo en que Luque, cuando me llevaba de regreso al hotel, se golpeaba las rodillas para instruirme en la cadencia de la llamada, como temiendo que yo olvidara las palabras de un ábrete Sésamo. Pero yo miraba la puerta cerrada del almacén escuchando como una voz conocida toda la hondura del silencio y sabía que era inútil llamar por tercera vez porque no había nadie en el interior de la casa. Reconozco en seguida las casas vacías, las miradas sin misterio, los teléfonos que no van a sonar.

Encendí una cerilla. El edificio parecía llevar un siglo abandonado, pero la puerta tenía una cerradura nueva. La tanteé con una lima de uñas, procurando que el ruido fuera apenas un rumor de carcoma. Pero si Andrade estaba dentro me oiría, habría oído mi llamada y estaría esperando, inmóvil, conteniendo la respiración, la mano húmeda de sudor cerrada en torno a la culata de un revólver, si es que lo tenía, o un cuchillo, algo duro y pesado que iría levantando sobre su cabeza a medida que el ruido en la cerradura fuera más discernible. Pero yo sabía que no estaba. Lo sabía como sabe un ciego que es de noche y que se ha quedado solo en mitad de una plaza. Sólo un pestillo mantenía cerrada la puerta. Usé para forzarlo con extremada suavidad una pequeña lámina de metal que llevaba siempre conmigo como un vago amuleto. Ábrete Sésamo, dije, imaginando que Luque me miraba, que a los dos lados de la puerta Andrade y yo deslizábamos al mismo tiempo el pestillo sobre su montura. También los goznes habían sido engrasados muy poco tiempo atrás. Antes de que la segunda cerilla me quemara los dedos miré un instante el espacio que se abría silenciosamente ante mí: una pared donde se amontonaban grandes televisores en desuso, una escalera de caracol, y en el suelo polvo y hojas de periódicos, esparcidas tal vez para que su ruido denunciara los pasos cautos de un intruso. Cuando cerré la puerta me circundó una oscuridad sin fisuras.

Permanecí unos segundos como disuelto en ella, sin que mis pupilas pudieran discernir ni siquiera esas fosforescencias que vemos moverse tras los párpados cerrados. No había cosas cercanas que pudieran tocarse, ni otro sonido que el de los trenes, más lejano que el mar, ni tampoco presencia alguna, ni la mía, inmovilizada en la sombra, en la mitad de un gesto que no podría concluir sin que crujieran mis zapatos. Tanteé buscando la pared y mis manos sólo rozaban el vacío. Tuve de pronto la certeza espantosa de que estaba parado en el filo de un pozo. Encendí otra cerilla: mi cara me sobresaltó en un espejo como la visión de la cabeza de un degollado. En un relámpago me acordé de algo que había leído casualmente en el avión para distraer el tedio del viaje: cuando han caído en el cesto, las cabezas de los guillotinados to-

67

davía guardan la conciencia, mueven los labios y los párpados y tienen una mirada última de inteligencia y desesperación. Hice girar en vano la llave de la luz eléctrica. Quemándome otra vez los dedos avancé hasta la escalera de caracol, que se tambaleó bajo mi peso. En el piso de arriba vi los anaqueles vacíos, las columnas de hierro, el mostrador donde estaba la lámpara de carburo. El cristal todavía quemaba cuando lo toqué.

6

Minutos antes, al empujar el pestillo, había sentido que una fracción mínima de espacio me separaba de Andrade. Al tocar la lámpara y oler el humo tibio y reciente de tabaco sentí que una fracción imperceptible de tiempo separaba mi llegada y su huida, mi presencia y la suya. Había otra manera de salir del almacén, y ellos no me avisaron, o tal vez era mentira la intuición de la proximidad de Andrade, que no pudo verme venir, porque el anuncio de máquinas de coser y los tablones hincados en los marcos tapiaban todas las ventanas. Pero era cierto que el cristal de la lámpara estaba caliente y que en el aire duraba el humo del tabaco. ¿Había salido por casualidad, en un acceso de impaciencia, para comprar comida o respirar temerariamente el aire libre de las calles? Debajo del mostrador vi latas de conservas y un cartón intacto de cigarrillos ingleses. También vi las esposas en un rincón del cuarto de baño, ocultas bajo una toalla sucia. Las acerqué a la luz sin descubrir señales de que hubieran sido forzadas. Pero si él sabía que las esposas estaban abiertas, ¿por qué las trajo aquí, por qué se arriesgó a llevar las manos atadas y no las tiró mucho antes, cuando los guardias le perdieron el rastro? El azar y la premeditación se pare-

cían como un hombre y su doble: un furgón policial
con la puerta entornada, un apagón que oscurece la
mitad de Madrid, los policías extraviados en el tumul-
to de las sombras, las esposas que calculadamente o
por descuido alguien se olvidó de cerrar. Y de pronto él huyendo con las manos atadas, desfigurado por
los golpes, sangrando todavía, porque las manchas
que vi sobre la almohada eran huellas evidentes de
sangre.

Con la lámpara de carburo en la mano yo deam-
bulaba entre los residuos menores de su vida de los
últimos días, sin lograr que su figura posible, lo que
sabía de él, se perfilara ante mí hasta convertirse no
en el cuerpo contra el que debía disparar, sino en un
hombre dotado de respiración y de mirada, de deseo
y de miedo. Era, como yo mismo en los espejos, un
fantasma de otro, una existencia conjetural y perdida, y por eso me obstinaba en recapitular sus actos,
en ver las mismas cosas que él había visto, el reloj
parado, los anaqueles de madera, la plancha metálica
que cegaba los balcones y vibraba con el viento. Nunca la luz del día ni la tiniebla azul de los cielos nocturnos que se prolongaban más allá de los cables y
los cobertizos de la estación como un horizonte marítimo: sólo la llama de la lámpara y las paredes de
ladrillo rojizo gangrenadas por la humedad y el vapor antiguo de los trenes, las horas muertas y los días
sin principio ni fin, encerrado, esperando con pasividad culpable que la llegada de alguien iniciara el epi-
sodio próximo de su vileza.

La fatiga de tantos viajes sucesivos me daba la sensación de asistir a un sueño que sólo parcialmente me
pertenecía. Por eso, cuando me senté en la cama y

hojeé al azar una de las novelas que él había estado leyendo tardó un poco en asombrarme el nombre de quien las escribió. Aún no me daba cuenta de en qué medida se me volvía inflexible la lógica del tiempo: una traición, Walter, Rebeca Osorio. Recordé una máxima que había leído no sabía dónde, una advertencia: *Don't play the game of time*. Pero no era posible que esas cosas sucedieran, que el nombre de Rebeca Osorio aún durara en el mundo, bello y falso, anacrónico, sobrevivido en aquellas novelas y en aquel lugar inexplicable únicamente para que yo lo viera. Las estuve mirando, tocando despacio el papel gastado y amarillo en que fueron impresas, notando el olor a polvo en el que parecían concentrarse todos los olores y todo el abandono del almacén, olores ligeramente corruptos, a madera pulverizada por la carcoma, igual que el papel, a humo de carbón y a ladrillo húmedo. Que alguien las hubiera llevado allí y que Andrade las hubiera leído eran hechos casuales que sólo cuando yo las vi adquirieron una amenaza de destino. En todas las portadas, aunque en diferentes posiciones y con trajes de épocas distintas, un hombre alto y joven que se parecía aproximadamente a Laurence Olivier abrazaba con castidad y vigor a una muchacha muy parecida siempre a Joan Fontaine. Las recogí del suelo, un tras otra, alisando sus páginas dobladas, limpiándolas de ceniza, las ordené sobre el mostrador a la luz del carburo y fui leyendo y recordando sus títulos. Pero algunas habían perdido ya las cubiertas, y las esquinas de las páginas se habían gastado por el uso, por el abandono de tantos años en los mostradores de las librerías de viejo y en los puestos callejeros de novelas de alquiler. Imaginé a Andrade leyéndolas de día o de noche tirado en el camastro, sin fuerzas para levantarse —todo el suelo a su alrededor estaba sucio de ceniza y colillas, y había incluso latas medio vacías de conservas usadas como ceniceros—, leyéndolas y desdeñándolas, volviendo a ellas cuando el insomnio y la noche no se terminaran. Vi escrito y repetido el nombre de Rebeca Osorio y supe sin excusa que tenía que irme y que si me daba prisa y volvía al aeropuerto a tiempo de tomar un avión hacia Inglaterra o hacia cualquier otro país aún tendría la oportunidad de salvarme de algo, no del crimen ni de la amenaza de la policía, sino de mí mismo y de la recobrada pesadumbre que venía cercándome desde que anduve bajo las bóvedas de la estación y por los turbios bares de sus cercanías. El desasosiego de tanto viajar y no dormir, el malestar y la extrañeza que me habían inquietado en el aeropuerto de Florencia, se precisaban ahora en las vanas novelas escritas tantos años atrás por Rebeca Osorio y en la perduración de su nombre, y me parecía que el tiempo estaba invirtiendo gradualmente su curso para traerme indeseados despojos de las cosas de entonces, ese nombre, la oscuridad de una noche duplicada, el recuerdo de otra persecución y de otro renegado a quien yo maté sabiendo que al hacerlo le amputaba a ella la mitad de su vida.

La decisión de irme devolvió a mi conciencia un coraje ilusorio, como el que nota quien resuelve abandonar un vicio. Dejaría la pistola en el mismo lugar donde la había encontrado y pasaría la noche en ese hotel cercano al aeropuerto. Una cena tranquila, una copa en la habitación, tal vez una llamada de teléfono a Inglaterra. Me sentí ágil otra vez, con los sentidos alerta, con ese impulso de libertad que me exaltaba siempre que me disponía a marcharme de una ciudad o de un país. En toda llegada hay un instante de incertidumbre o de tristeza: marcharse es un duradero arrebato de felicidad. Estaba mirando cuidadosamente el almacén para asegurarme de que lo dejaba todo igual que lo había encontrado —incluso repetí con exactitud el desorden de las novelas tiradas junto a la cama— cuando advertí que al fondo, detrás del mostrador, una cortina se movía despacio, con un rumor semejante al de las hojas de un árbol. Rígido como un maniquí, Andrade podía estar al otro lado espiándome. Avancé sin ruido hacia la cortina, sosteniendo la lámpara, que al moverse hacía que se desplazaran hacia atrás las sombras de las cosas. La levanté: no vi nada más que una oquedad vacía, forrada con hojas amarillas de periódicos. Justo entonces oí que alguien estaba abriendo sin cautela la puerta del almacén.

Cerré la espita de la lámpara y retrocedí hasta apoyar la espalda en la pared. Unos pasos muy lentos ascendían por la escalera de caracol. Dejé de oírlos cuando un tren pasó estremeciendo los muros de la casa. Cuando se hizo el silencio los pasos sonaron muy cerca de mí, mucho más pesados y lentos, haciendo crujir las hojas de periódicos. Un círculo de luz se proyectó en la cortina tras la que yo me escondía y la cruzó velozmente. Escuché una respiración tan oscura y tan próxima que por un momento la confundí con la mía. Al cabo de uno o dos minutos de inmovilidad y silencio me atreví a apartar ligeramente la cortina con los dedos. Un hombre grande y ancho, con gafas, con un traje marrón, estaba sentado en el camastro, sin hacer nada, dedicado tal vez al acto difícil de la respiración, fumando, sin quitarse el cigarrillo de la boca. Había posado verticalmente la linterna ante sí, y su luz era una pantalla cónica de gasa que me impedía distinguir los rasgos de su cara. Sólo veía el brillo vago de sus gafas y la brasa púrpura del cigarrillo, que se avivaba y desaparecía con una regularidad de mecanismo automático. No era Andrade, desde luego, era mucho más gordo y más lento, no podía serlo por más que hubiera cambiado desde que le hicieron la foto que yo guardaba en mi cartera. Pero en él había algo que me parecía remotamente familiar, algo escondido en sus gestos fatigosos y en su manera de morder el cigarrillo. Miraba la almohada, las novelas, las latas llenas de colillas, pero no enfocaba sobre ellas la linterna, que se volcó en el suelo sin que él la levantara y agrandó su figura y las sombras que desfiguraban su rostro. Se movía con un aire como de tedio invencible, como si estuviera sentado en una sala de espera. Se puso en pie jadeando y luego tuvo que inclinarse otra vez para recobrar la linterna, y en ningún momento, aunque parecía asfixiarse, se quitó el cigarrillo de la boca.

No era la primera vez que visitaba el almacén. Miraba los objetos como enumerándolos, como si comprobara que cada uno ocupaba su exacto lugar. Temí que echara en falta la lámpara de carburo, que después de tantos minutos de sostenerla inmóvil ya me pesaba intolerablemente. Había algo muy raro en él, en su manera de usar la linterna. La hacía girar con ademanes arbitrarios, la olvidaba sobre el mostrador, y le daba la espalda, y cuando volvía la cara hacia su luz yo sospechaba con un escalofrío que me estaba viendo a través de la cortina. Antes de encender un cigarrillo se sacudía de las solapas la ceniza del que acababa de tirar. Alumbrada unos segundos por el mechero su cara parecía contraerse en una sonrisa búdica. Volvió a sentarse, ahora de espaldas a mí, apagó la linterna. Pensé de nuevo en los gestos de un hombre que se aburre en una sala de espera. Oí cerrarse las puertas de un automóvil y entendí que eso estaba haciendo él: esperaba, y prefería hacerlo en la oscuridad.

Sonaron pasos abajo, luego en los peldaños metálicos de la escalera circular. El hombre gordo encendió de golpe la linterna y alumbró certeramente un rostro, una cabeza amarilla y como degollada por la circunferencia de la luz.

—La he traído —dijo la cabeza, que sonreía con una boca abierta y roja.

—Que suba —la voz del hombre que me daba la espalda sonó como una emanación de la oscuridad, lóbrega y ligeramente húmeda, extinguida al instante, sin entonación ni resonancia. Pero tal vez era que de no moverme y de contener la respiración hasta el límite, como si me mantuviera bajo el agua, yo empezaba a percibirlo todo con un relumbre de alucinación que distorsionaba las voces y los rostros igual que la aguja demasiado lenta de un gramófono desfigura una canción usual y la vuelve extraña y casi amenazante. Porque la sensación de familiaridad se me volvía más intensa y también más inexplicable: yo había estado alguna vez allí, yo conocía a esos hombres, yo sabía lo que iba a suceder cuando de la escalera de caracol emergiera de nuevo esa cara amarilla.

Oí otros pasos, unas voces que murmuraban abajo. La linterna estaba alumbrando un círculo vacío. Antes de que se apagara, durante una fracción de segundo, vi una cara de mujer.

Apreté los dientes y los párpados para que la presión que me aplastaba las sienes no me privara del conocimiento. Era como estar sumergido en las aguas densas y oscuras de un pozo. Ahora, gracias a una inconcebible dilatación del oído, escuchaba dos respiraciones distintas, la una frente a la otra, las dos minuciosamente rodeadas por los rumores de la oscuridad, por el peso de los cuerpos sobre el suelo de tablas, por la carcoma, por el crujido de la débil armazón de la casa. El hombre respiraba muy fuerte por la nariz, aplastando con su cuerpo los muelles del camastro. La mujer tenía miedo, y yo notaba en mi garganta asfixiada la voz que no podía salir de la suya. Casi veía su cara iluminada por la lumbre del cigarrillo que estaba ardiendo ante ella.

—¿Quién está ahí? —escuché que decía: temblé como si la pregunta me aludiera.

—De modo que se ha ido —la voz del hombre tardó en hablar, sin contestarle—. Pero no hace mucho que se fue.

—Quién es —oí que la mujer daba unos pasos y que se detenía, jadeando de miedo—. Quién está ahí.

—No te conviene saberlo —dijo el hombre—. Acércate. No tengas miedo.

—No veo nada —la mujer dio uno o dos pasos, rozando con las suelas de sus zapatos el piso de madera, y ese lento sonido y el de su respiración se confundían—. Por qué no enciende la luz.

—No hace falta. Ya sabes dónde estoy. Aquí, donde se tiende él. Imagínate que has venido a verlo. Extiende la mano. Un poco más. Así. Deja que yo te guíe. Más cerca. No te quedes de pie. Pero por qué tiemblas. Tienes las manos frías. No, no te muevas, quédate así. No voy a hacerte nada. No voy a preguntarte nada.

No era una voz, era un lento murmullo y un silbido que se deslizaba tras la arritmia azarosa de las respiraciones, como un reptil moviéndose entre la maleza, agudo a veces y quebrándose, cercano y húmedo, igual que una lengua o una mano caliente que tantea y araña, y las palabras sin énfasis y sin fisuras de silencio se unían entre sí en una larga cinta que inoculaba la somnolencia y el miedo. No era una voz, era el tacto y el polvo detenido en una tela de araña, y mientras yo la oía y quería seguirla notaba en torno a ella el deslizamiento de los cuerpos y de las respiraciones, creciendo cada una con tonalidades distintas, la del hombre cada vez más perentoria y más oscura, la de ella en un jadeo que se parecía a un llanto seco, a un quejido de humillación y dolor, porque yo ahora sabía que su nariz y su boca estaban escondiéndose en la tela ingrata de la almohada, y que cerraba los ojos, como si pudiera eludir la oscuridad que veía al mantenerlos abiertos. Yo no veía nada y lo escuchaba todo, hasta los movimientos de las manos, las manos del hombre que indagaban con terminante precisión en las ropas de ella, en las cremalleras, en los broches del sostén y las medias, en la hendidura tibia de los muslos cerrados, y cuanto más hondo averiguaba que él estaba rozando con sus blandas manos de fiebre más convulsa y más aguda se volvía su respiración, y más ahogadas sus palabras, que tal vez ni él mismo oía, rígido, imaginé, rígido y gordo sobre ella, envolviéndola en el vaho a tabaco y saliva de su aliento, no acariciándola, sino examinándola como un médico sucio. Pasó un tren y la riada de su estrépito arrastró consigo todos los sonidos, y hubo un instante, mientras todo temblaba, en que un breve resplandor se filtró por las rendijas de los postigos clausurados. La cama estaba sólo a unos pasos de mí, y sobre ella el hombre y la mujer eran un bulto más oscuro que las otras sombras, no dos cuerpos unidos, sino una presencia cenagosa sin perfiles visibles, algo que respiraba y casi no se movía y que yo habría podido tocar extendiendo la mano. Oí un chillido corto y agudo de ella, como si le hincaran algo muy punzante, y luego la voz del hombre pareció sollozar, y las respiraciones se amansaron. El hombre se puso en pie y se apartó de la cama para encender un cigarrillo. Olí el humo y la gasolina del mechero y vi que ella se sentaba y permanecía quieta, jadeando.

—Ahora irás a cantar, igual que todas las noches —dijo el hombre. Hablaba con el cigarrillo en la boca y en su voz había de nuevo una inalterable frialdad—. Si él va a verte no trates de esconderlo. Yo estaré vigilando. Aunque tú no me veas yo te estaré viendo, aunque creas que estás sola. Dile que nadie más que yo puede ayudarle.

—Quién eres tú.

—No te hace falta saberlo. Tampoco sabes quién es él.

—Sé que no es como tú.

—No estés tan segura —esas palabras sonaron como si sonriera al decirlas. Imaginé el cigarrillo en la boca y los labios curvándose—. Vete ahora. Canta esta noche para mí. Vístete y desnúdate para mí. Estaré viéndote.

El hombre golpeó tres veces con la linterna las tablas del suelo. De nuevo sonaron pasos en la escalera de caracol. La linterna se encendió justo cuando el otro, el que había estado esperando abajo, apareció frente a ellos y le hizo una señal a la mujer. La luz inmóvil lo cegaba y se tapó los ojos. De espaldas a mí ella se puso en pie y avanzó tambaleándose un poco sobre los tacones. Vi una melena oscura, un vestido de hombros rectos y anchos. Obedecía con una lentitud sin voluntad, como si estuviera dormida y escuchara órdenes en sueños. El que debía llevársela la tomó del brazo, y entonces ella, cuando ya había bajado uno o dos peldaños, volvió bruscamente la cabeza y yo casi pude vislumbrar su perfil, pero la voz del hombre la detuvo, congelando su gesto, como inmovilizándole la vida, igual que un hipnotizador con un pase magnético.

—No te vuelvas —le dijo—. No trates nunca de mirarme.

Con una necesidad intolerable de ver su cara yo deseé que no hiciera caso y supe que iba a volverse y que un solo segundo de luz me bastaría para descubrir lo que me inquietaba de ella, lo que una parte de mí mismo del todo ajena a la razón y a la memoria consciente tal vez había reconocido ya en la imagen más breve que un relámpago que fue alumbrada por la linterna unos minutos antes. Era como la imposibilidad angustiosa de recordar un nombre que nos parece a punto de formarse en los labios y nos mantiene atados al insomnio. Bastaba un solo gesto, un solo instante más de luz, yo estaba en el límite desde donde puede rescatarse una cosa olvidada, pero la luz se apagó y yo entendí casi desesperadamente que no podría recordar algo que ni siquiera sabía lo que era ni a dónde ni a quién pertenecía. Pero ella aún estaba en el mismo lugar, y por el modo en que sonaba su voz comprendí que había vuelto la cara hacia el hombre, hacia la brasa roja de su cigarrillo.

—Ya sé quién eres —dijo—. Aunque no vea tu cara.

—Nadie lo sabe, ni los que pueden verla —otra vez adiviné que el hombre sonreía, enaltecido por alguna clase de secreta potestad sobre el miedo de los otros, no sólo el de ella y el del guardián que ahora la guiaba escaleras abajo, sino también el mío, aunque no me viera ni supiera que había alguien más en la casa.

Cuando se quedó solo no encendió la linterna. La lumbre del cigarrillo se movía en la habitación como un insecto luminoso. Parecía que no fuera a irse nunca, agradecido a la soledad y a la sombra, sin hacer nada, fumando. Yo tenía dolorosos calambres en las piernas y apoyaba la espalda y la nuca en la pared, notando que casi no podía sostenerme, que la inmovilidad me anegaba en un espacio vacío, el de la alucinación o la inconsciencia, porque soñaba las cosas al mismo tiempo que me sucedían y de antemano me miraba a mí mismo derribado en el suelo, con las pupilas cegadas por la luz de la linterna que descendía sobre mí como el gran foco de un quirófano. Me hincaba las uñas en la palma de la mano y no sentía nada, sólo un hormigueo como de invisibles parásitos en las yemas de los dedos. Veía el almacén, el hotel de Florencia, la escalera mecánica de un aeropuerto, las luces del muelle abandonado de

Brighton, el interior de mi casa. Para no desvanecerme apreté los párpados hasta que me dolieron las cuencas de los ojos. Cuando los abrí de nuevo ya no pude ver la brasa del cigarrillo. El hombre bajaba por la escalera de caracol y el peso de su cuerpo hacía crujir las articulaciones metálicas. Sonó abajo un portazo y al cabo de unos minutos arrancó un automóvil. Ahora podía moverme y salir y era incapaz de hacerlo. No supe cuánto tiempo tardé en encender la lámpara y en apartar del todo la cortina. Me movía con la torpeza de quien camina sobre lodo, como si estuviera agotado de nadar y pensara con dulzura en el agua que me inundaría los pulmones mientras me fuera ahogando. Me senté en la cama, donde duraba todavía un olor de mujer, miré la ceniza gris que manchaba la almohada y luego un paquete de tabaco aplastado y vacío. Sin propósito alguno lo recogí y lo alisé, y entonces vi que había dentro un trozo de papel azul que parecía el resguardo de una entrada de teatro o de cine. *Boîte Tabú*, decía en letras grandes que imitaban caracteres de escritura china.

Después de tanta oscuridad cada cosa que miraba se convertía en una apremiante incitación a descifrar algo que estaba ante mis ojos imponiéndome la evidencia hermética de su quietud. Las colillas, el papel arrugado y azul, la portada de una novela de Rebeca Osorio, una pequeña barra de carmín. Verlo todo era igual que no ver más que una sombra unánime. Tocar aquellos objetos que cuando yo me marchara quedarían sumergidos en la habitación a oscuras como en el fondo del agua era igual que mancharse los dedos de una sustancia innoble, ligeramente pegajosa, como la piel de una mano blanda y caliente. Pero antes de irme puse el papel azul entre las páginas de una novela que guardé en el bolsillo de mi gabardina, junto al lápiz de labios.

Al salir llevaba la pistola en la mano, pero no había nadie en las proximidades del almacén, ni en las calles de tapias bajas y pequeñas acacias por las que volví a la estación. A esa hora ya habían salido los últimos expresos y no se oía el eco de los avisos repetidos por los altavoces. Caminé un rato al azar, buscando un taxi, aterido de frío, del frío húmedo del almacén. Al desembocar en una calle que las farolas blancas y la ausencia de tráfico hacían más ancha vi frente a mí una ladera densa de árboles en cuya cima sobresalía la cúpula de un templo circular. De repente la ciudad era otra, más dilatada y silenciosa, íntima como un bosque sagrado, porque de la colina me llegaba un olor a vegetación y tierra húmeda. Abajo, a mi espalda, había dejado la estación, pero los lugares por donde ahora caminaba pertenecían a otro mundo lejano que ya no era inhabitable. Recordé entonces con precisión y gratitud que lo que estaba viendo era la cúpula del Observatorio, y que habían pasado casi treinta años desde la última vez que la vi.

Un gran taxi negro con una banda roja se detuvo a mi lado. Yo aún estaba decidido a irme al aeropuerto, sin recoger ni siquiera mi bolsa de viaje, pero cuando el conductor me preguntó a dónde iba me quedé un momento sin saber qué decir mientras veía alejarse la cúpula iluminada y la colina. En voz baja, sin premeditación, como si otro hombre contestara por mí, le dije que me llevara a la *boîte Tabú*. Al oírme hizo girar con violencia el volante y me sonrió en el retrovisor como a un cómplice.

7

Aún guardaba la pistola en el bolsillo de la gabardina, y su peso, como el influjo de un imán, me mantenía vinculado a la existencia de Andrade haciéndome continuar involuntariamente su persecución. Me había ido del almacén para no seguir ya buscándolo, había renunciado, para abreviar toda dilación, a recobrar en la consigna mi bolsa de viaje, pero antes de subir al taxi me olvidé de deshacerme de la pistola, y ese descuido, que ni siquiera obedecía a una precaución, ahora me parecía secretamente irreparable, uno de esos pormenores del azar que nadie advierte y que contienen el destino como una pequeña ampolla de vidrio esconde una sustancia letal. Pensé pedirle al taxista que se detuviera, pero no dije nada, y la pistola y la fotografía y el pasaporte falso de Andrade seguían viajando conmigo por Madrid.

Percibía las cosas detrás del velo de la extrañeza y de la fiebre, al otro lado de las luces de la ciudad y casi del tiempo, como si todo hubiera ya sucedido y no me quedara otra posible actitud que obedecer y recordar. Tal vez a él, a Andrade, le ocurría lo mismo, y por eso se había marchado del almacén unos minutos antes de que yo llegara, no para huir o para seguir mintiendo, sino para que las horas de la noche siguieran un curso previamente trazado, el de mi búsqueda, el de su soledad sin porvenir. Viendo a hombres solos que iban por las aceras con viejas chaquetas de cuello levantado y se paraban bajo las farolas a escarbar en los cubos de basura imaginé que una cualquiera de aquellas sombras podía ser Andrade. Caminaría así durante horas, perdido, despojado de todo, juntando con la mano cerrada las solapas bajo la barbilla para defenderse del frío, temiendo que un hombre de paisano o un automóvil sin identificación se le acercaran: y no dejaría nunca de caminar para ser un poco menos sospechoso, sin documentación, acaso sin dinero, con la cara sin afeitar, con su apariencia intacta de inmolación y rectitud, la misma de la foto, la que seguiría teniendo cuando estuviera muerto.

Pero lo que yo no sabía era de quién estaba huyendo, si de la policía o de mí, y era preciso que lo averiguara, no por ellos, los que esperaban en Italia una llamada de teléfono que les diera cuenta de la ejecución con palabras cifradas, sino por mí mismo, por un acuciante deseo de restitución y de piedad, restitución de algo que todavía ignoraba, piedad hacia alguien que no sabía quién era, tal vez el hombre débil y solo de la fotografía, o el traidor arrepentido de su deslealtad que había escapado cuando estaba a punto de consumarla, o el sereno impostor que eludía con igual eficacia a todos sus perseguidores y que pudo haberme visto cuando llegué al almacén y estar vigilándome ahora mismo desde otro taxi, desde uno cualquiera de los automóviles cuyos faros veía yo por la ventanilla trasera hendiendo la noche y las avenidas de la ciudad como un río de luces.

Aturdido por tantas horas de soledad y de viaje, yo ni siquiera sabía ya si aún buscaba a Andrade ni qué haría si llegaba a encontrarlo, porque era otro nombre tan falso como el suyo el que ahora repetía silenciosamente mi conciencia, Rebeca, Rebeca Osorio, inventora de novelas y de mentiras que ella había preferido siempre y sin remordimiento a la verdad. En las novelas que escribió durante algunos años, como en el nombre que usaba para firmarlas, había un ensañamiento en la inverosimilitud y la parodia que yo creía copiado de los melodramas del cine y que ella atribuía al azar diario de la vida. Cada semana publicaba una novela de intrigas góticas y amores fulminantes. Las concluía en dos o tres tardes, a máquina, y no volvía a leer nunca las páginas que llevaba escritas, para no morirse de vergüenza o de risa. En cualquier ciudad, en los puestos de periódicos, en los quioscos de las estaciones, unos pocos conjurados compraban las novelas de Rebeca Osorio y encontraban ocultas en sus peripecias las consignas que de otro modo no habrían podido recibir: un nombre en clave, la dirección de un lugar seguro, la fecha y la hora de la cita con un mensajero. Cuando volví a Madrid por primera vez después de la guerra, yo compré al bajarme del tren una novela de Rebeca Osorio que se llamaba *Corazón encadenado*. En uno de sus capítulos, un joven y frío millonario, Ricardo de Leyva, recorre ciertas calles de los barrios del sur buscando a una costurera a la que ha resuelto seducir, y de la que terminará enamorándose. Con la novela en la mano, línea a línea, yo repetí sus pasos, encontré el cine al que él iba para buscar a la muchacha, compré una entrada de la última función. No había casi nadie en la sala y pude ocupar sin dificultad el asiento designado en la novela: en la esquina del fondo, a la izquierda, junto a la luz roja de la salida de emergencia. El cine tenía una vasta decrepitud de terciopelos y falsos oros maltratados por un abandono tal vez anterior a los años de la guerra. La luz de los globos amarillos que pendían del techo tintaba el aire de un turbio resplandor como de lámparas de aceite. El protagonista de la novela sólo permanecía durante media hora en el cine, *devorado*, todavía me acuerdo de las palabras exactas, *por una impaciencia febril*. Si al cabo de media hora nadie se sentaba a mi lado yo debía marcharme y regresar al día siguiente. Vi las imágenes grises de un vago noticiario, se encendieron las luces, algún espectador me miró con ese recelo de los cines poco frecuentados, y cuando volvió la oscuridad y sonó la música que preludiaba la película ya habían pasado más de veinte minutos. En la novela, cuando Ricardo de Leyva se disponía a marcharse, una mujer se sentaba a su lado en la penumbra y le rozaba débilmente la mano. Para distraer los minutos últimos de una espera que ya sospechaba inútil miré sin atención la pantalla. Me sorprendió la rotunda voz española de Clark Gable. Alguien cruzó la cortina roja de la salida de emergencia y se acercó a mí, una mujer con una blusa blanca que llevaba un libro en la mano. No me volví para mirarla cuando se sentó a mi lado.

—¿Le ha gustado la novela? —me dijo, tocándome la mano.

—No la he terminado todavía.

—Mejor así. No la termine.

—¿Es mala?

—Usted sabrá.

—No entiendo de libros. ¿La ha leído usted?

—La he escrito. No me pida que también la lea.

Entonces me volví hacia ella. Yo nunca había conocido a nadie que escribiera libros. La vi de perfil, porque me hablaba sin mirarme, atenta a la pantalla, rozándome la mano con sus dedos fríos. Su cara tenía la misma palidez que las imágenes del cine, la misma consistencia tenue de breves claridades y fugaces penumbras. Yo no estaba acostumbrado a oír hablar en español: desde el principio su voz tuvo una ironía cálida, una tibia y objetiva ternura que me procuraba, como el tacto delicado y casi imaginario de las yemas de sus dedos, una excitación que en aquel tiempo yo sólo supe atribuir a la tensión nerviosa de cualquier cita clandestina. Era igual que llegar a París antes del verano de 1944 y encontrarse a media mañana con alguien en una cervecería de los bulevares, sonriendo, mirando de soslayo en busca de uniformes grises o de testigos casuales. Era más difícil aún, porque yo estaba en Madrid por primera vez desde los tiempos en que sonaban de noche las sirenas de alarma y los motores de los aviones enemigos, cuando vestía un uniforme de oficial y no sonreía nunca para que nadie pudiera atribuirme la afrenta impúdica de una excesiva juventud, para ser respetado por los hombres que me obedecían y también por aquellos a los que interrogaba tal vez en las mismas oficinas donde unos pocos años más tarde serían interrogados los héroes y los traidores del linaje de Walter.

Con una novela doblada en el bolsillo de la gabardina yo había cruzado las calles de Madrid para encontrarme con Rebeca Osorio. Ahora, media vida después, viajaba en un taxi hacia un club nocturno y no sabía lo que estaba buscando ni reconocía las calles por las que pasaba, pero escondía en el bolsillo, igual que entonces, una pistola y una novela barata, y el pasado restablecía lentamente su poderío sobre mí, enajenándome de mi propia vida, la real, la que me esperaba en Inglaterra. No era exactamente nostalgia lo que sentía al acordarme de mi casa y de los lomos de cuero de los libros ordenados en los anaqueles umbríos de la tienda, del olor a tinta y a papel antiguo que notaba al abrir sobre el mostrador una carpeta de grabados. Era más bien la dolorosa certeza de una necesidad inaplazable y sin embargo postergada minuto a minuto, y seguía en el taxi camino de la *boîte Tabú* sin decirle al conductor que me llevara al aeropuerto, sin albedrío ni coraje, como un enfermo inmóvil en la cama que siente la crecida del dolor y ve sobre la mesa de noche la medicina que podría mitigarlo y no tiene voluntad para extender la mano hacia ella ni voz para llamar a alguien que le ayude a tomarla.

En cualquier caso, ya no tenía tiempo de volver: el taxi se había detenido ante un portal hoscamente cerrado por una cortina metálica. «No se preocupe», me dijo el conductor. «Si tiene entrada le abrirán.» Me dio el cambio mirándome con la misma sonrisa de complicidad insultante que cuando me oyó nombrar la *boîte Tabú*. Me quedé solo en la acera, ante la cortina metálica, con una cierta aprensión de turista estafado. El mezquino letrero azul que había junto a la puerta no estaba encendido, y la calle era empinada y estrecha, con edificios de ladrillo y pequeñas tiendas de comestibles que tenían postigos de madera. Había un olor difuminado y rancio a cañería y almacén, a portal húmedo, a casa de huéspedes para viajeros pobres, como en las calles próximas a las estaciones de ferrocarril. Pero yo no supe calcular en qué parte de la ciudad me encontraba. El anuncio pintado sobre azulejos de una peluquería me pareció familiar, pero también remoto, un hombre con el pelo reluciente de gomina y un gran paño blanco bajo la barbilla que sonreía como Carlos Gardel. *Salón Montecarlo. Peluquería moderna. Casa fundada en 1926.*

Di unos golpes en la puerta de metal ondulado. Se abrió una mirilla a la altura de mis ojos. En seguida reconocí la cara que había al otro lado, la boca grande y roja del hombre a quien alumbró la linterna en el almacén. Me dijo que ya estaba cerrado. Le mostré la invitación azul. Sonrió con una expresión muy parecida a la del taxista y cerró la mirilla. Oí unas palabras en voz baja y luego un ruido de resortes que se deslizaban con rapidez y sigilo. Una puerta muy estrecha se abrió en la cortina metálica. El hombre era pequeño y caminaba ligeramente torcido, como si cojeara. En el vestíbulo, iluminado por una luz violeta, había fotos de mujeres con peinados altos y pestañas postizas. Recordé la sensación de entrar en un club nocturno de Londres viniendo desde las calles sumidas en la oscuridad por una alarma antiaérea. En un instante lo cegaba a uno la luz y lo aturdían la música y el humo. Aquí la música sonaba todavía lejana. Por un sofocante pasadizo de espejos y colgaduras púrpura llegué a una sala en penumbra donde un vaho de perfumes enrarecía el aire. Oí un piano y una espesa voz femenina que cantaba un bolero, pero al principio no pude ver el escenario, porque me lo ocultaba una columna forrada de terciopelo. Moviéndose con dificultad entre las sombras perfiladas por claridades rojizas el hombre de la espalda torcida me guió hasta una mesa. Vi la mancha blanca de su mano extendida ante mí y le entregué unas monedas. La sonrisa se agrandó en su boca como la desgarradura de una herida. «Tómese una copa», me dijo, tan cerca de mi cara que casi me rozaban sus labios. «No falta ni media hora para que empiece el número fuerte. Es la primera vez que viene, ¿sí? Pruebe un *polinesian*. Único en Madrid. Especialidad de la casa...»

Sobre cada mesa había una pequeña lámpara azul en forma de paraguas. Brillaban a mi alrededor como velas al fondo de una iglesia. En el escenario, por encima de las cabezas opacas y los rostros azules, cantaba una mujer gorda, con tacones muy altos, con un vestido largo de reflejos metálicos que tenía en el costado una abertura singularmente obscena. La luz de un foco la rodeaba como un crudo plenilunio, haciendo relucir sus labios y el maquillaje blanco de su cara. El pianista parecía un profesor abrumado por una vejez sin dignidad. Un camarero se obstinó en servirme aquel combinado de nombre polinesio que me había prometido el guardián de la puerta: tenía, previsiblemente, una repulsiva densidad de jarabe. Yo bebía y escuchaba risas contenidas y murmullos a mi alrededor y me iba envolviendo una lenta sensación de absurdo que agravaban la infamia del alcohol y las sonrisas codiciosas y adúlteras de los hombres vestidos de oscuro que en las mesas próximas fumaban y bebían junto a mujeres muy pintadas y enredaban como casualmente los dedos en sus manos. Pensé: «ahora mismo no hay nadie en el mundo que sepa dónde estoy», y eso era más verdad aún porque ni yo mismo lo sabía, y hasta la identidad se me desdibujaba como uno cualquiera de aquellos rostros acogidos a la sombra, desconocidos y pálidos sobre las lámparas azules.

Seguida por el candente círculo de luz, la gorda del escenario giraba obedeciendo los arrebatos torpes del piano y movía las caderas. La carne del muslo que dejaba desnudo la abertura de la falda tenía una trémula calidad de víscera. Éste era tal vez el lugar que había frecuentado Andrade, con corbata, sin duda, con un traje oscuro, como casi todos los hombres de edad intermedia que bebían cerca de mí y se atrevían a tocar con lujuria cobarde las rodillas de las animadoras, más clandestino él que nadie, temiendo ser sorprendido no sólo por la policía, sino por sus propios cómplices, que ya desconfiaban de él, de sus corbatas nuevas y de sus zapatos limpios, que reprobaban su adicción a las bebidas extranjeras y a los bares nocturnos. Imaginándolo solo junto a una de las pequeñas lámparas azules, inmovilizado por la culpabilidad y el deseo, preguntándome qué había sido lo que le hizo venir por primera vez aquí y seguir viniendo noche tras noche, no era a él a quien veía, sino a mí mismo, porque yo también buscaba en la penumbra el rostro de una mujer a la que ni siquiera reconocería si llegaba a verla. Sentí íntimamente que ni el mismo Andrade estaba aquella noche más perdido que yo, ni él ni los bebedores solitarios de la barra a los que no se acercaban las mujeres, ni siquiera los hombres que se detenían en las aceras a escarbar en los cubos de basura o que dormían tirados en los bancos de los andenes de Atocha cobijándose en lienzos de plexiglás o en hojas de periódicos. Quise pensar de nuevo en mi casa de Brighton, en sus ventanas de madera blanca, en el fuego encendido, pero todo estaba tan lejos que la memoria inútil ya me negaba la sensación de estar a salvo y de poseer un refugio únicamente mío, invulnerable al miedo y al destierro.

Nadie aplaudió cuando la gorda terminó de cantar. Sonreía bajo el peinado tieso de laca, retrocediendo hacia las cortinas del fondo, inclinándose, como si agradeciera algo o pidiera perdón. Entonces la luz del foco se extinguió al mismo tiempo que se apagaban todas las lámparas de las mesas y se hacía el silencio. Hubo en la repentina oscuridad un sobrecogimiento de espera y de respiraciones contenidas. Luego sonó el piano mientras descendía sobre el escenario una delgada línea oblicua de luz azul, más tenue y fría que la de las lámparas. Alguien habló a mi espalda: una voz le susurró que se callara. Al volverme vi que una mano descorría a medias la cortina de un palco lateral, el único que había en la sala. Un mechero encendido iluminó los cristales de unas gafas. Cuando miré de nuevo al escenario una mujer de espaldas, con los hombros desnudos, volvía muy despacio la cara hacia la luz.

No me atrevía a mirar otra vez hacia el palco. Igual que en el almacén, a pesar de la sombra en la que se ocultaba como tras el embozo de una capa, la presencia del hombre que nunca dejaba de fumar era tan indudable como el peso de un cuerpo. Me parecía que estaba tan cerca de mí como una o dos horas antes, respirando en su acecho inmóvil de galápago, mirando con la misma avaricia con que chupaba el cigarrillo humedecido por la saliva de sus labios. Pero ahora yo podría ver lo que no vi en el almacén, pues la muchacha, como si se hubiera quebrado la continuación del tiempo, repetía el mismo gesto que se había interrumpido ante mis ojos cuando se apagó la linterna, con la cabeza inclinada y el perfil tapado por el pelo, volviéndose con una lentitud de inminencia, revelándome al mostrarse de frente ante la luz azul lo que yo había estado a punto de saber en el almacén, lo que me fue negado por un presentimiento de incredulidad y de asombro. Al ver su cara terminé de perderme en el tiempo y en las alucinaciones de la mentira y de la memoria tan irreparablemente como me había perdido desde que salí de Inglaterra por los hoteles y los aeropuertos de Europa y por la noche extranjera de Madrid. Muy pálida contra el terciopelo negro de las cortinas, peinada exactamente igual que hacía veinte años, intangible, salvada, enaltecida por la luz, dibujada o inventada por ella, la mujer que concluía ahora, sobre el escenario de la *boîte Tabú*, un gesto iniciado horas antes y detenido y congelado por la oscuridad, era Rebeca Osorio, no gastada ni modificada por los años, inmune a ellos como a una desgracia a la que todos nosotros, los que la conocimos, habíamos sucumbido sin remedio.

La reconocía con la misma certidumbre imposible con que reconocemos en una pesadilla las facciones de un muerto. La luz azul y el peinado y el vestido de noche la envolvían en un resplandor de anacronismo, aislándola de la realidad y del presente como en el interior de una urna de cristal invisible. Movía los labios, había comenzado a cantar, pero la voz desfigurada por el micrófono no era la suya, era más ronca y menos sabia, aunque después de tanto tiempo yo no estaba seguro de que me fuera posible recordarla, menos aún cuando nunca la había oído cantar. Pero ella siempre tuvo una virtud de transfiguración instantánea, y los rasgos de su cara y sus firmes manos y su presencia tan serena y altiva parecían atributos de una perduración inalterable. Ahora, sobre el escenario, era imposiblemente ella misma y también era otra, más carnal y más fría que cuando yo la conocí, sonriendo como si estuviera sola ante un espejo, ceñida por el raso negro de un vestido de noche, como las mujeres del cine y las heroínas fatales de sus novelas, que morían siempre de un disparo en el último capítulo, absueltas de todo un pasado de lujosa perfidia por la abnegación del amor. En aquel tiempo, cuando vivía con Walter, cuando no sabía que él iba a morir y que yo había venido de Inglaterra para matarlo, era capaz de ser varias mujeres en el curso de un día, mujeres desconocidas, simultáneas, idénticas, como repetidas en espejos. Así cambiaba ahora mismo mientras yo la miraba, según las modificaciones sigilosas de la luz, y había instantes en que la perdía y aceptaba la evidencia del engaño, y otros en los que era más ella misma que nunca, detenida en una plenitud exacta de fotografía y preservada como la hermosura de una actriz en una película antigua. Era imposible que no hubiera cambiado, pero era más imposible todavía que ella, la Rebeca Osorio que yo conocí, estuviera cantando vestida de Rita Hayworth en un club nocturno, transfigurada y fugitiva de sí misma, moviendo con un frío impudor las caderas al ritmo suave y creciente de un bongó que resonaba en mis sienes como el latido de la fiebre. Más intenso que la incredulidad o el asombro fue en seguida el sentimiento del ultraje, casi de la profanación, porque a medida que cantaba sus gestos iban adquiriendo una procacidad velada e indudable, una tranquila desvergüenza de incitación sexual que me envolvía turbiamente en una doble punzada de deseo y de infamia. Entornaba los ojos, rozaba el micrófono con los labios, apoyando las manos en las caderas, adelantando el vientre según los espasmos de la música, pero su cara permanecía impasible, como si perteneciera a otra mujer que no estaba allí y que no podía ser vulnerada por la indignidad ni la lujuria, Rebeca Osorio, su doble, su imagen inasible, únicamente hecha de memoria y luces proyectadas, esculpida en el aire como las formas instantáneas del fuego.

Miraba al frente, hacia mí, pero no podía estarme viendo, miraba con obstinación de desafío hacia el palco donde brillaba el punto rojo de un cigarrillo, y entonces recordé la respiración y las palabras del hombre, canta para mí, vístete y desnúdate para mí, y pensé que todos los gestos que ella hacía eran un reto y una inmolación. Dejó de cantar, calló el piano, los golpes secos y hondos del bongó cobraron una súbita velocidad de redoble, luego las manos de palmas blancas se aplastaron sobre la piel tensada para detener toda resonancia. Tras el silencio, cuando ella, que había echado la cabeza hacia atrás, volvió a moverse, cuando los golpes comenzaron suavemente otra vez, fue como oír un corazón: el mío, no conmovido durante tantos años que ahora estaba latiendo con cuchilladas de dolor, el de Andrade, que venía aquí cada noche para morirse de deseo y de celos, el de ese hombre que fumaba y miraba, que mantenía encendido su cigarrillo en la oscuridad como una pupila fija e insomne. La exaltación y la vergüenza se estaban consumando ante mí al ritmo hirviente del bongó, que parecía golpear a la muchacha como a un boxeador débil, descoyuntándola, arrojándola de rodillas al suelo, imponiéndole metódicamente los movimientos sincopados de una danza en la que se iba desnudando como si se desgarrara a sí misma, los largos guantes, uno tras otro, los tirantes del vestido, el raso negro que descendió hasta su cintura y luego cayó a sus pies como una materia líquida y reluciente, como un charco de mercurio del que emergió desnuda, con la cara baja y tapada por el pelo, con las manos cruzadas sobre el vientre, jadeando no de fatiga, sino de rencor, desvanecida al cabo de un segundo en las tinieblas y el silencio igual que el brillo de un relámpago.

Cuando sonó un aplauso amortiguado por la parálisis unánime del deslumbramiento y se encendieron otra vez en las mesas las pequeñas lámparas azules miré a mi alrededor como si despertara buscando los residuos de un sueño. Pero el gran foco circular iluminaba ahora un espacio vacío, unas cortinas recién estremecidas. Las del palco habían vuelto a cerrarse. Yo quería desesperadamente comprobar que era verdad lo que habían visto mis ojos y me daba miedo la posibilidad de no seguir siendo engañado si hacía algo para averiguarlo. Me puse en pie, tan entumecido como cuando salí del almacén, me abrí paso entre las sombras de los bebedores, buscando la entrada de los camerinos. Crucé un pasillo entre altas pilas de cajas de botellas que estaba iluminado por una bombilla roja. Al final había una puerta cerrada, y sobre ella una tarjeta con un nombre escrito a máquina: *Srta. Osorio.* La abrí y ella estaba de espaldas, sentada frente a un espejo. Pero antes de mirarla a la cara comprendí que cuando lo hiciera ya no la reconocería.

8

Podría haber cerrado de nuevo, murmurando una disculpa, como el que advierte que acaba de abrir una puerta equivocada, pero mis actos, desde que llegué a Madrid, precedían a las decisiones de mi voluntad, y antes de verla a ella —me temblaban ligeramente las manos como a un alcohólico apresando entre los dedos la primera copa y no me atrevía a enfrentarme a su cara— vi mi estupor en el espejo, mi pelo gris, mis facciones desfiguradas por las malas noches de hotel y la soledad de los viajes. Me pareció que llevaba años sin mirarme a mí mismo y que sólo ahora percibía con una claridad sin misericordia los efectos del tiempo. En nada me distinguía ahora de los otros, los que iban a esconderse después de medianoche tras la persiana metálica de la *boîte Tabú* y pagaban un precio por mirar desde la impunidad de la penumbra a una mujer cegada por la luz y fortalecida por el desprecio que se quedaba desnuda ante ellos durante dos o tres segundos, el tiempo justo para que no pudieran estar seguros de haber visto su cuerpo y no un fantasma de la imaginación. Cuando entré en el camerino la muchacha se había vuelto rápidamente hacia mí, pero no era yo quien ella esperaba o quien temía que viniera, y me dio la espalda con un gesto de decepción y de hastío, mirándome ahora en el espejo, mientras se pintaba los labios, viéndome tal vez como me había visto yo mismo, con la crueldad añadida de su juventud, porque no tenía más de veinte años. El maquillaje y el peinado la hacían mayor, pero no demasiado, era la premeditada luz del escenario la razón del prodigio. Seguía siendo casi idéntica a Rebeca Osorio, pero ya no era ella, sino un borrador inexacto que acaso confirmaría o desharía el tiempo cuando los rasgos de su cara llegasen a ser definitivos. Ahora, más de cerca, pasada la primera ofuscación del asombro y desbaratado el espejismo, me era posible precisar en qué se parecían, aislar, como los componentes fatales de un veneno, las líneas que me habían soliviantado en ese rostro. La nariz era igual, y la boca, y los ojos. Sobre todo el fulgor y la transparencia de los ojos mirándome en el cristal como a través de toda la vacía extensión del pasado, como si aquella cara que tanto se parecía a la suya no fuera sino una máscara en la que brillaban las pupilas vivientes de Rebeca Osorio y sólo ellas me reconocieran, su mirada sin cuerpo.

Me preguntó con indiferencia quién era. Dijo que al público no le estaba permitido entrar en los camerinos. Inclinada, muy cerca del espejo, se pintaba los labios, y parecía que sólo muy parcialmente notaba mi presencia. Tardé en hablar. Me lo impedía la sensación de verme como ella estaba imaginándome, un testigo codicioso y venal. Entonces vi sobre el tocador, entre polveras y botes de maquillaje, un novela de Rebeca Osorio, tan maltratada como las que leía Andrade en el almacén.

—Soy amigo de Andrade —dije—. Le he traído algo de París.

Siguió pintándose, absorta en el espejo, sin mirarme abiertamente, sin decir nada todavía. Llevaba una bata de seda negra con dibujos de pájaros, y no se la ciñó del todo cuando yo entré. Su cara tan joven contrastaba con aquel peinado que estuvo de moda cuando tal vez ella no había nacido. Miraba como si viera cosas que no estaban delante de sus ojos. Había un punto de fuga en sus pupilas, una expresión de intensidad y vacío, y su presencia y su adivinada desnudez seguían siendo, como en el escenario, una mentira de la penumbra y de la luz, una insomne y desesperada figuración de un deseo ajeno a ella, que ella no advertía y que ni la rozaba.

—Creo que se equivoca —dijo, vuelta hacia mí, con el lápiz de labios en la mano, con la bata tan abierta que casi se le deslizaba de los hombros—. No conozco ese nombre que dice.

Tomé el libro que estaba sobre el tocador y lo esgrimí ante ella. Movió un poco la cabeza hacia él, como un ciego que ha escuchado algo.

—Le ha prestado usted las novelas de Rebeca Osorio, ¿no es cierto? Imagino que ya no son fáciles de encontrar.

—Yo soy Rebeca Osorio.

—¿Ha escrito usted este libro?

—Pura casualidad. Alguien que se llamaba igual que yo.

—¿Se llamaba?

—O se llama. Quién sabe.

—¿Por qué eligió ese nombre?

—No lo elegí. Es el mío.

—Nunca fue el nombre de nadie.

—Ahora sí. Léalo en la puerta cuando salga.

No hacía preguntas. No parecía que le extrañara o que le importara mi presencia. Si me iba probablemente no lo notaría. Estuvo un rato peinándose la melena oscura y rizada —con la raya a la izquierda, como la otra, con el pelo casi tapándole un lado de la cara— y mientras se peinaba permanecía fija en mí, en el espejo, mirándome con un aire abstraído de ironía o compasión. Pensé que no hacía preguntas porque no le eran necesarias para saberlo todo de antemano. El mentiroso brillo de sus ojos ardía helado y azul en medio de la nada, como una lámpara encendida en una casa desierta.

—Tenía una cita con Andrade esta tarde —le dije, espiando en vano algún signo en sus pupilas—. En el almacén. Pero cuando llegué ya no estaba.

—Qué Andrade —imitaba el tono de mi voz—. Qué almacén.

—Cerca de la estación, ¿no se acuerda? —cuando me llevé la mano al bolsillo de la gabardina retrocedió un poco y tuvo miedo—. Donde usted perdió esto.

Frente a sus ojos, sobre la palma de mi mano, estaba la barra de carmín. Fingió que no la miraba, que no entendía por qué razón se la había enseñado.

—Eso no es mío —dijo, dándome la espalda otra vez, vigilando su propia mirada en el cristal.

—No he dicho que lo sea.

—¿Dónde lo ha encontrado?

—Si sabe dónde está Andrade dígamelo. Le he traído el pasaporte y el dinero.

Se puso en pie, atándose con negligencia el cinturón de la bata. Me quitó de la mano el lápiz de labios y se lo guardó en un bolsillo sin mirarlo. Su piel tenía una vibrante y despojada blancura, una inmediata sugestión carnal, como si todavía la hirieran las luces públicas del escenario. Me acordé de la mujer a la que había visto bailar en aquel garaje de Florencia.

—Estaba escondido, ¿verdad? Mirando —se irguió ante mí con la misma rabia que la había enaltecido cuando echó hacia atrás la cabeza y se arrancó el vestido negro y lo pisó, unos minutos antes—. Mirando como él. Como todos esos de ahí afuera.

—Tenía una cita con Andrade. Si ellos lo encuentran antes que yo volverán a detenerlo. Y esta vez ya no podrá escaparse.

Tenía la boca entreabierta, húmeda de carmín, contraída por el desprecio, y sus pupilas transparentes e inmóviles me miraban como si su sola fijeza pudiera discernir en mis ojos la mentira que mis palabras le ocultaban, desafiándome a un duelo de silencio.

—Le prometieron que vendría alguien —se le quebró levemente la voz y pareció que se rendía—. Pero nadie llegaba, y esa gente buscándolo, ese hombre que fuma. Usted dice que ha venido a ayudarle. Lo mismo dice él. Todos le quieren ayudar y lo que están haciendo es ayudarle a morirse. Está enfermo. Se le infectaron las heridas de las muñecas. No sé dónde habrá ido.

—¿Cuándo lo vio por última vez?

—Anoche. Deliraba de fiebre.

—¿Estaba en el almacén?

—Tenía miedo. Sabía que iban a encontrarlo.

—La siguieron a usted.

—No me siguieron —habló como si desmintiera una

calumnia—. No les hacía falta. Yo creo que siempre supieron dónde estaba.

—¿Ahora también lo saben?

No llegó a contestarme. Oímos unos pasos que se detuvieron al otro lado de la puerta. Ella me hizo una señal para que me apartase y se quedó mirándola en el espejo, esperando que se abriera. Desde donde yo estaba no pude ver la cara del hombre que se asomó a ella sin pasar del umbral, pero reconocí su voz. «Están esperándote», dijo, «no tardes». Hablaba con una entonación imperiosa y vulgar, y yo imaginé que antes de cerrar la puerta sonreiría con su boca grande y rajada, con sus pequeños ojos animales. Cuando los pasos dejaron de oírse quise acercarme otra vez a ella, pero me rechazó con un gesto, llevándose el dedo índice a los labios. El miedo volvía más helada y azul la transparencia de sus ojos, la dejaba vulnerada e inerte, como la revelación de una desgracia. Ella, la falsa Rebeca Osorio, era más joven y también más débil que la otra y estaba hecha misteriosamente de deseo y de espanto, y cualquier cosa, una palabra, unos golpes en la puerta, podía borrarla igual que las luces del escenario al apagarse.

—Tengo que irme —dijo. Hablaba como si yo ya no estuviera en el camerino.

—¿Saldrá a cantar otra vez?

—No —me dio la espalda, vi que la bata se abría y en un instante se quedó desnuda—. Ahora no tengo que cantar.

No la miré mientras se vestía. Oí el roce de la tela sobre la piel y noté fugazmente, más hondo que el perfume que usaba, el olor secreto de su cuerpo. Tal vez lo que desconocía de ella era una parte de Rebeca Osorio que en otro tiempo no me atreví a imaginar o no quise saber que existía: tal vez el pudor y el respeto no fueran siempre convicciones sagradas, sino ardides discretamente innobles para eludir la cobardía.

—¿Qué hace? —dijo la muchacha. Su voz tenía un tono de burla. Levanté los ojos y se estaba subiendo con dificultad la cremallera de un vestido azul oscuro.

—No mirarla.

—Antes pagó para mirarme —parecía que al vestirse y maquillarse otra vez se hubiera liberado del miedo.

No le contesté. Se dio una sombra de polvo rosa en los pómulos y ordenó su melena con uno o dos gestos veloces. Esos dedos de uñas rojas moviéndose, como los de Rebeca Osorio sobre el alto teclado de la máquina de escribir.

—No salga todavía —me dijo, examinando el pasillo, donde no había nadie—. Espere a que yo me haya ido.

Cuando ya se marchaba la sujeté de la muñeca. Sus huesos eran insospechadamente frágiles. En cuanto la toqué cesó en ella toda resistencia. Permaneció a mi lado, mirándome, con la boca entreabierta, como si no tuviera voluntad, sólo una vana desesperación de sonámbula. Le mostré el pasaporte de Andrade, abriéndolo por la página donde estaba la fotografía. Una cara asustada, con las pálidas mejillas sombreadas de barba, como en una ficha policial.

—Ya ve que no le miento —dije—. Si quiere que se salve ayúdeme a averiguar dónde está.

—Quién me dice que no es otra trampa —intentaba desasirse de la presión de mi mano—. No sé quién es usted.

La solté y me di cuenta de que le había hecho daño en la muñeca. Cerré otra vez la puerta y se apoyó en ella como temiendo que yo fuera a pegarle. Desde tan cerca el color de sus ojos tenía una claridad de abismo. Veía en ellos duplicada mi cara, diminuta y convexa, perdida en esa conciencia que era imposible traspasar y que tal vez no se me rendiría nunca.

—Si no deja que me vaya entrarán a buscarme.

—Esperaré a que vuelva.

—Ya no volveré esta noche.

—Dígame dónde puedo esperarla. Iré detrás de usted si no me lo dice —al hablarle notaba en mis palabras un recobrado privilegio, el de la determinación y la crueldad.

—Puedo engañarlo.

—Si le importa Andrade no lo hará. Tengo su pasaporte y su dinero.

—Démelos a mí.

—Yo cumplo órdenes. No se los puedo entregar a nadie más que a él.

Con un ademán de huida se acercó al tocador y buscó algo en los cajones. Oí el tintineo de un juego de llaves que brillaron luego en la palma de su mano. Me las guardé, seguí esperando mientras ella escribía rápidamente sobre un trozo de papel con un lápiz de ojos que humedeció en sus labios.

—Él vivía en esa dirección antes de que lo detuvieran —me dijo, recogiendo su bolso con un gesto terminante—. Algunas veces nos encontrábamos allí. Es un barrio nuevo. Está muy lejos y la mayoría de los taxistas no saben llegar. Pero le he apuntado el nombre de la estación del Metro más próxima. Le servirá para orientarse. Tenga paciencia. Puede que tarde mucho.

—La esperaré —dije, pero ya se había ido, dejando en el aire un breve revuelo de perfume.

Cuando volví a la sala ya estaban cerradas las cortinas del escenario y sólo quedaban entre las mesas vacías algunos bebedores contumaces que se inclinaban como decapitados sobre los escotes y los blandos pechos de unas pocas mujeres embotadas de fatiga y de sueño. Abolida la penumbra, bajo la plana luz amarilla que anunciaba inapelablemente el final de la noche en la *boîte Tabú*, los rostros y las cosas tenían un hosco relieve de trivialidad y fracaso. Sentado tras la barra, el hombre de la espalda torcida manejaba una ampulosa máquina registradora. Inútilmente deseé que no me viera. Sorteando con dificultad el desorden de las mesas vino hacia mí y echó a andar a mi lado como un anfitrión dispuesto a acompañar hasta la calle a un huésped relevante. Sus palabras sonaban como humedecidas en saliva.

—Le gusta, a que sí. El señor es de fuera. La chica le gusta, entra a camerinos y ella dice que no. Yo puedo conseguirla. El señor paga. Mucho dinero, pero al señor no le falta. Buen zapato, buena gabardina, hotel primera categoría. El señor llega al hotel y llama por teléfono y la chica no tarda ni media hora, ¿comprendido? Higiene, discreción absoluta. Caballero solvente.

La voz era como una baba que se me adhería al oído. Miré la cara vieja y los ojos sin pestañas y dije en inglés que no entendía y caminé más rápido hacia la salida. Pero él me seguía con sus veloces cojetadas, con su letanía de palabras cortas y agudas como pi-

cotazos. Al andar su espalda se doblaba en reveren-
cias convulsas, y cuando llegamos a la puerta metálica
se adelantó para abrírmela. «Muy tarde ya esta noche», decía, «pero mañana la chica libre para el señor, aunque hay otras si el señor se impacienta, toda
la noche y todo el día esperando el teléfono...» Me
apresuré hacia un taxi que aguardaba en la acera y
el murmullo me siguió hasta que subí a él y cerré la
puerta de golpe, pero tardó en arrancar, porque el
motor estaba frío, y la boca casi pegada al cristal aún
se movía tras una mancha de vaho. Como cuando
estaba oculto en el almacén y sentía que iba a perder
el conocimiento me pareció que el tiempo se había
enquistado y que el taxi no arrancaría nunca. La cara se apartó del cristal, pero un curvado dedo índice
escribía signos en el vaho, extraños números inver-
sos que yo descifré y aprendí de memoria antes de
que se desvanecieran en la noche igual que el hombre de la espalda torcida y los portales de la calle
donde había vuelto a cerrarse la persiana metálica de
la *boîte Tabú*.

9

Un pequeño vestíbulo, un pasillo desnudo sobre el que colgaba el cable retorcido de una sucia bombilla, un estricto comedor con un sofá de patas metálicas y una mesa y cuatro sillas de material sintético que imitaba la madera. Sobre el televisor había un laborioso paño de ganchillo y una bola de cristal en cuyo interior se veía una basílica. Al darle la vuelta se borraba el cielo azul de postal y caía sobre la cúpula una lenta nevada. Era como si en aquel lugar no hubiera vivido nunca nadie, como si lo hubieran abandonado a los pocos días de ocuparlo, cuando las paredes aún estaban húmedas de pintura y los objetos y los muebles guardaban el olor y el polvo de los embalajes. Todo parecía recién hecho y a la vez malogrado por una fulminante decrepitud. La cocina y el cuarto de baño tenían azulejos de un verde suave y sanitario. Había seis platos de cristal, seis vasos moteados de lunares rojos, seis cubiertos de acero inoxidable, un frigorífico de forma ligeramente abombada que estaba vacío y olía a goma. No era posible notar indicio alguno de pasado ni de porvenir. Faltaba en el dormitorio la fotografía de estudio de dos recién casados jóvenes y ya sin éxito: tal vez estuvo, y Andrade la escondió para aliviar su incomodidad de intruso, para no preguntarse quiénes habitaron antes que él la casa y por qué se marcharon o fueron expulsados sin dejar en ella señales perdurables de vida.

Pero tampoco él las dejó: sólo unos pocos libros en una estantería de formica. Una novela de Gorki, dos o tres manuales de economía y de historia impresos en Sudamérica, una Enciclopedia de las Razas Humanas que tenía en la portada la foto de una mujer negra con los labios perforados, una guía de Madrid con planos de itinerarios de tranvías y del Metro. En el dormitorio, demasiado angosto para el tamaño solemne del armario y la cama, encontré la ropa y los zapatos que debió de comprar después de conocerla a ella, cuando empezó a volverse débil y a merecer la sospecha. Lo imaginé probándose aquel traje azul marino ante el espejo, tardíamente animado por una inepta voluntad de elegancia. A medianoche, vestido para ella, viajaba en los vagones desiertos de una línea periférica y antes de golpear con los nudillos en la persiana metálica de la *boîte Tabú* y de ocupar una mesa junto al escenario se convertía en otro hombre. De pronto, mientras hurgaba en los bolsillos vacíos de los trajes de Andrade, en aquel piso de una barriada lejana donde él vivió hasta que lo detuvieron, me pareció que la traición y la lealtad eran enigmas mediocres. Daba igual que mintiera, que estuviera engañando a los suyos o a la policía y huyendo ahora de mí o del hombre que fumaba en la oscuridad. Lo que importaba saber era cómo su deseo había sido más fuerte que su vergüenza y su culpa y más eficaz que su predisposición al sacrificio.

Inevitablemente, con una fatigada vileza que ni siquiera me pertenecía, yo miraba las cosas con los ojos de Bernal. El precio de esos trajes y de esos zapatos, la pulcritud sin resquicio de las habitaciones. Si un conspirador sale de la casa donde estaba escondido y lo detienen en la calle no es posible que lo deje todo perfectamente ordenado tras de sí, a menos que sepa que ya no va a volver. Si un hombre viene a Madrid y vive en un piso prestado y no tiene más dinero que el que le asigna la organización no puede comprarse ropas como ésas ni beber en un club no del todo legal ni pagar a lujosas mujeres que acuden en taxi a los hoteles. Pero yo sabía que no es demasiado difícil comprar a un hombre, porque durante algún tiempo, en Madrid y en Berlín, ése había sido en parte mi trabajo, y que los traidores por los que se paga un precio más alto eran siempre los menos sospechosos de traición. Walter, por ejemplo. El caso Walter, como ellos decían, convirtiendo a un hombre en un axioma, en una secreta conmemoración del mal que exorcizaron a tiempo, que pareció vencido y se renovaba ahora en otro nombre, Andrade, en la misma ciudad a la que yo, el verdugo de entonces, había sido enviado otra vez por una pura razón de voluntaria simetría. Por eso miraba rostros duplicados y lugares irreales y lisos como la superficie de un espejo, y el mismo Andrade ya no se parecía en mi imaginación a la foto que yo guardaba en la cartera como se guarda un recuerdo de familia. Iba adquiriendo inadvertidamente las facciones del otro, el que vi correr y quebrarse una noche junto a una fábrica abandonada, el que me miró moviendo los labios sin hablar mientras yo adelantaba hacia él la pistola para calcular la distancia del disparo que convertiría su rostro en una máscara de sangre.

Pero Walter tenía una vida que yo había conocido y vulnerado y Andrade no era más que un rostro en una foto y una ausencia en un piso vacío de las afueras de Madrid, una pasión inexplicada y abstracta, una mujer que se ocultaba tras el nombre y la figura de otra. Miré por la ventana un desierto de calles sin edificios bajo las altas farolas que resplandecían en la noche y vi a lo lejos, como una hoguera encendida en una isla, la entrada de la estación más remota del Metro. Me senté en el sofá, frente al televisor apagado, y no sabía qué ni a quién estaba esperando. Me quité la gabardina, dejando al alcance de mi mano el bolsillo donde guardaba la pistola, y abrí al azar la novela de Rebeca Osorio que había traído del almacén. El cansancio hacía que las palabras alineadas se movieran ante mis ojos, ondulándose, como si aparecieran en ese mismo instante sobre el papel, igual que cuando ella las escribía en su gran máquina negra. Automáticamente recordé que tenía nombre de arma de fuego: era una Remington. El sonido hiriente de una campanilla señalaba el final de la línea, y sólo entonces se detenía el rumor del teclado. De pie tras ella, yo la miraba escribir, veía moverse de izquierda a derecha su melena a medida que las palabras avanzaban, estableciendo a partir de la nada, del papel en blanco y de los pequeños caracteres de plomo que impulsaban sus dedos, historias insensatas que ella después accedía a contarnos, asombrada ella misma de su incansable capacidad de mentira. Eso era lo que recordaba yo de aquel tiempo, los golpes del teclado, la señal aguda de la campanilla, el silencio de la breve tregua necesaria para introducir una hoja en blanco en la máquina o encender un cigarrillo. Mientras escribía yo la contemplaba en silencio, queriendo adivinar en la expresión mudable de su rostro los episodios que tramaba. Me miraba sonriendo y no me veía, porque sus ojos azules estaban presenciando la vida de otra gente invisible. Yo la ayudaba a veces, recogía las páginas, las numeraba. Dejaba pasar los días como un huésped indolente, fingía ante mí mismo que averiguaba cosas. En las habitaciones altas del cine, Walter y ella vivían su doble vida clandestina con un aire de trivialidad conyugal que parecía eximirlos del peligro. Me recordaban a un matrimonio inglés que se hubiera retirado apaciblemente a una casa de campo. Ella escribía novelas sentimentales y era difícil creer que en cada una se escondiera la fragmentaria alegoría de una conspiración. Él, Walter, proyectaba películas, repasaba cada noche la contabilidad del cine, de vez en cuando se ausentaba a deshoras, y nada permitía deducir de sus actos visibles que era el único jefe de una sociedad secreta, desbaratada al final de la guerra, revivida por él en los días más oscuros de la claudicación y el terror, cuidadosamente gangrenada y traicionada por la misma inteligencia que la restableció.

Pero al principio ninguno de los dos desconfió de mí. Sabían que mi verdadero oficio era el recelo y que había venido para vigilarlos, no sólo a ellos, suponían, sino a toda la dirección de Madrid, diezmada por el miedo y la deslealtad, porque en aquellos años la tortura y la cárcel eran siempre el preludio del fusilamiento, casi aislada del exterior durante el tiempo larguísimo de la guerra en Europa, que había concluido unos meses atrás. Eran los únicos supervivientes y estaban bajo sospecha. En Inglaterra, en los sótanos de un edificio de oficinas medio derribado por los últimos bombardeos de las V-2, yo había interrogado a un prisionero alemán que trabajó durante dos años en la embajada del Reich en Madrid. Lo recuerdo vencido, sonriente, con gafas de miope, con un traje oscuro de solapas muy anchas, mansamente aclimatado a la calamidad, resuelto a sobrevivir a ella. No sabía que yo era español. En un momento del interrogatorio, que duró tres días, me dijo que su mejor agente en Madrid estaba ahora al servicio de la policía española y llevaba años infiltrado en la misma cúpula de la resistencia clandestina. Hice como que no me interesaba mucho lo que me decía, pero él tenía ganas de seguir hablando sobre su agente de Madrid, como si recordara a un discípulo predilecto cuya maestría lo redimiera del fracaso. Era o fingía ser un tranquilo alcohólico, y yo procuraba que nunca estuviera vacío su vaso de ginebra. «Nunca lo descubrirán», me dijo, con una suficiencia de beodo impasible, «porque sabe esconderse en la oscuridad». Bebió ginebra, me pidió una pluma y una hoja de papel. Su mano hinchada y azul temblaba mientras escribía con mayúsculas una palabra española: *Beltenebros*. Así había elegido llamarse el traidor de Madrid.

Cuando yo vine ya sabía que su otro nombre era Walter. Regentaba el Universal Cinema y compartía con Rebeca Osorio una especie de innata felicidad no gastada por la costumbre ni el miedo. No era muy alto, pero tenía una sólida envergadura de árbol, el pelo débil y rubio, los ojos vagamente rasgados. En su manera de hablar se notaba un residuo como de idiomas dispares, pero nadie llegó a saber cuál fue el primero que había aprendido ni de dónde venía. En París suponían que era húngaro o búlgaro, posiblemente judío. Había llegado a España hacia 1930, fugitivo de la policía política de dos o tres países. A finales de l939 escapó de un campo de concentración y regresó a Madrid, como nacido de nuevo, fortalecido por las cicatrices y la cautividad. No parecía que hubiera sido nunca temerario o fanático, porque el énfasis le era tan extraño como el desaliento. En cuanto lo conocí yo supe que pertenecía a un linaje recién extinguido. Otros como él, apátridas desde que nacieron, habían combatido y muerto en casi todas las guerras y las sublevaciones del mundo durante más de veinte años. Unos pocos optaron por la traición: la practicaron con la misma eficacia que había hecho temible su primer heroísmo. Tal vez por eso yo nunca sentí que odiara a Walter. Incluso cuando le disparé a la cara supe que seguía siendo uno de los míos.

Había reconstruido la organización de Madrid casi desde la nada, haciéndose pasar al principio por fotógrafo ambulante para visitar las casas de los escondidos, convirtiéndose luego en empresario de banquetes de comuniones ficticias para celebrar las primeras reuniones secretas, completamente aislado del exterior y sin más ayuda que la de Rebeca Osorio, como si fueran dos náufragos, me dijo ella, condenados a vivir para siempre en una costa abandonada. Unos meses antes de que yo llegara, alguien vino a solicitar refugio en el Universal Cinema. Se llamaba Valdivia. Desde 1937 hasta la caída de Madrid había trabajado conmigo en el Servicio de Información Militar. Yo mismo lo envié para que vigilara a Walter y tuviera dispuestas las pruebas de su culpabilidad y tramada la circunstancia exacta de su muerte. Cuando Rebeca Osorio me condujo por los pasadizos del cine hasta la cabina de proyección, Walter ya tenía en los ojos ese aire ausente de los que van a morir muy pronto y todavía no lo saben. Me tendió la mano, que era más grande que la mía, dijo que había oído hablar de mí, que le sonaba mi cara. Probablemente nos conocimos en la guerra y no lo recordábamos. Moviéndose entre las máquinas con un cigarrillo en la boca y los brazos desnudos se parecía al mecánico de un barco.

—Ya era tiempo de que viniera alguien —dijo, pero no me miró. Al hablar volvía ligeramente la cara, como fijándose de pronto en algún detalle del suelo, en un ruido irregular de las máquinas—. Al fin se acuerdan de que existimos.

—Nos ha traído un mensaje de París —dijo Rebeca Osorio.

—Mensaje —repitió: no pronunciaba bien la jota—. Dinero es lo que nos hace falta. Dinero y armas, no mensajes. Gente que vuelva, ¿entiende? Que vuelva de París y de Moscú y ayude a los que nos quedamos. Aquí un hombre no puede durar más de cuatro o cinco meses, y si uno cae tiene que venir otro. Caen todos los días, y ya no vuelven a salir.

—Usted ha durado más de cinco años —le dije.

—Yo casi no me arriesgo. Salgo muy poco —miró a Rebeca Osorio—. No me dejan.

—Todo va a cambiar ahora que ha terminado la guerra en Europa —oí mi voz como si fuera la de uno de esos locutores de la radio—. Los aliados nos ayudarán.

—Los aliados de quién —la sonrisa de Walter era tan oblicua como su mirada—. No los nuestros. Nunca lo fueron. Les importamos menos que una tribu de África.

Entonces me miró de soslayo con sus rasgados ojos grises, queriendo acaso medir el efecto de su incredulidad, de su enconada insumisión. Pensé que no quedaban muchos hombres que tuvieran su temple. En el silencio, entre nosotros dos, había empezado a formularse una íntima pugna en la que nunca intervinieron las palabras ni casi las miradas. En la inteligencia de Walter el miedo era un frío hábito de la razón. Cuando volví a hablar procuré que mi voz tuviera un tono de confidencia sólo parcialmente desvelada.

—Muy pronto habrá una invasión —le dije, y esperé sus preguntas. Pero no hizo ninguna.

—Venga conmigo —dijo Rebeca Osorio, incómoda por la duración del silencio, y los tres supimos que estaba proponiendo una tregua—. Le llevaré a ver a Valdivia.

—Cuéntele a él lo de la invasión —Walter había vuelto a ocuparse de los proyectores—. Dígale que los aliados van a romper la frontera de los Pirineos. A lo mejor cuando lo oiga se le curan las heridas.

En las paredes de la cabina había carteles y programas de mano de películas anteriores a la guerra. Sonrisas desvanecidas y excesivas, rostros de mujeres rubias descoloridos por el tiempo. Olía a celuloide caliente y se escuchaba la resonancia heroica del mar y de los gritos de abordaje, porque tras las pequeñas ventanas rectangulares por donde fluía el cono de la luz estaba sucediendo, en el centro de la oscuridad

117

de la sala, una película en la que ese raro Clark Gable que hablaba en español era el capitán de una cuadrilla de piratas. Nunca llegué a verla entera, pero la oí muchas veces durante los días que siguieron.

Todavía recuerdo esas voces del cine como el ruido del mar que golpea secamente y arrastra los guijarros en la costa de Brighton, muy lejos y muy cerca, con la obsesiva precisión de un metrónomo, en las mañanas de una luz verde oscura en que el agua es conmovida por la cercanía de la tempestad, el agua honda y lejana aun en la misma orilla, con tonalidades de nublado y de bronce, inhumana y violenta, chocando contra los pilares de hierro de los muelles. Desde las cuatro de la tarde hasta la medianoche, cuando terminaba la última función, el ruido del mar se oía en los pasillos y en las habitaciones del Universal Cinema, y el silencio venía como la brusca quietud de una mañana de calma. Entonces era otro el sonido: había estado siempre allí, oculto por los altavoces del cine, como el ritmo de un péndulo, pero sólo ahora revelaba su tenaz persistencia. Era la máquina de Rebeca Osorio, que algunas noches se quedaba escribiendo hasta el amanecer.

No iba maquillada, y se vestía con cierto descuido. Aquella primera tarde, mientras me guiaba hacia la habitación de Valdivia, caminando por delante de mí y hablándome mientras tanto, como una enfermera apresurada, pensé que no era especialmente atractiva o que no quería serlo, contaminada por la opacidad de Walter, por la costumbre de la reclusión en el cine, con ese leve aire de aceptado abandono que uno puede advertir en las mujeres de los ciegos y de los

118

pastores anglicanos, austera a pesar de sí misma y de su propio cuerpo, olvidada de él, no enaltecida por los espejos ni por la mirada gris del hombre que vivía con ella. «No haga caso de Walter», me dijo, «discúlpelo, los últimos tiempos han sido muy malos para él, y para todos nosotros». Sentía siempre la necesidad de protegerlo, de explicar lo que él callaba o no sabía decir, como si debiera ayudarle a moverse en un mundo que desconocía y lo supiera inhábil en su fortaleza de hombre grande y vulnerable en su coraje. Había en ella, en el impudor y la transparencia de sus ojos, un instinto fanático de perseverancia y de aniquilación: para salvar a Walter estaba dispuesta a renegar de sí misma, y su propia vida le importaba menos que su amor.

Habían alojado a Valdivia en un desván que estaba encima del patio de butacas. «Pise con cuidado», me dijo Rebeca Osorio al entrar, «pueden oírnos abajo». Parecía que el suelo no fuera más que una delgada lámina de madera y yeso y que se iba a hundir cuando uno lo pisara: imaginar todo el espacio que había bajo mis pies me dio al principio una insondable sensación de vértigo. Una parte del techo inclinado era de cristal, pero la débil luz de la tarde de invierno ya confundía las formas de las cosas y apenas me permitió distinguir los rasgos del hombre que estaba inmóvil en la cama, sentado, como si se hubiera dormido en esa rígida posición. Antes de acercarme a Valdivia lo reconocí por sus gafas de cristales ahumados, que habían pertenecido siempre tan invariablemente a su cara como la boca o la nariz. Sus ojos incoloros y húmedos no podían soportar la claridad. Estaba acostado contra los altos barrotes de la cama, y un vendaje le ceñía el pecho y el hombro izquierdo. Pensé que el dolor de la herida no lo dejaría tenderse.

«Mira quién ha venido», le dijo Rebeca Osorio, y se apartó a un lado para que yo me acercara, con sus modales de enfermera, con una cálida solicitud en la que había algo de ternura. Valdivia se quitó las gafas y extendió cautelosamente el brazo herido hasta dejarlas en la mesa de noche. Supuse que había estado durmiendo y que tardaba en habituarse a la realidad. Sus ojos enrojecidos seguían mirando igual que los de un médico. Dijo mi nombre, hizo un ademán de abrazarme, pero el dolor lo detuvo. Me miraba apretando largamente mi mano, pálido de extenuación y de fiebre, sin hablar todavía, como si hubiera perdido el uso de la voz y debiera afirmar sólo con las pupilas y la presión de la mano el testimonio lacónico de nuestra amistad. El mundo al que pertenecimos se había hundido a nuestro alrededor como un continente tragado por el mar, pero él, Valdivia, se mantenía inamovible en medio del desastre, erguido sobre sus almohadones, con los ojos enfermos, atento a todo, a mi llegada, impaciente por cancelar en seguida el tedio de la convalecencia y por revivir nuestra mutua memoria y la complicidad del pasado, ese tiempo en que los dos aprendimos a desconocer igualmente el desaliento y la piedad. Ahora, como entonces, nos aliaba la tarea de desbaratar una traición, y no importaba que ya no vistiéramos uniformes ni que la ley que juramos obedecer hubiera sido abolida por quienes nos vencieron: la ley sobrevivía en nosotros, intacta como nuestro orgullo, restablecida por nuestra determinación de cumplirla.

Mientras Rebeca Osorio se quedó con nosotros

—tenía que vigilar a Valdivia, me dijo, cuidarse de que no fumara y no hablara demasiado, porque todavía estaba débil—, sólo conversamos, con alguna torpeza, de los amigos antiguos, de los que huyeron y los que se quedaron, de los que estaban muertos y los que habían desaparecido. Valdivia tenía la inquietante virtud de no olvidar nada: recordaba los detalles de una tarde banal de 1938 en la que estuvimos bebiendo juntos en un café de Valencia con la misma exactitud con que podría repetir, al cabo de los años, las palabras de un mensaje interceptado al enemigo. Tras los cristales oscuros, sus ojos húmedos lo percibían todo. Tras la hermética expresión de su cara había una inteligencia que devanaba las cosas hasta su límite último, como si en todo lo que veía se contuviera un código secreto que él debiera descifrar. Desconfiaba de las evidencias y se guardaba de ellas como de la luz excesiva que le hería los ojos. Cuando Rebeca Osorio nos dejó solos se levantó enérgicamente de la cama y buscó un cigarrillo. Pero yo ya había sospechado que en su actitud de enfermo había una parte de simulación.

—La bala me atravesó el hombro —dijo—. Nada grave, sólo que se infectó un poco la herida y he tenido fiebre. Pero Walter trajo penicilina. Me pregunto cómo la pudo conseguir.

—Ella me ha dicho que te tendieron una trampa.

—Escapé de milagro —Valdivia sonrió: daba a cada palabra un tono que sugería la posibilidad de un sentido oculto—. Me daba cuenta del peligro, pero no podía decirle a Walter que no iría a esa cita.

—¿Te envió él?

—Claro que sí. Debió de entrarle prisa por acabar

conmigo. Desde que supo que tú venías empezó a sospechar. Tú le das miedo a la gente, Darman. ¿No lo has notado? A ella también. Mira cómo te trata. Cuando volví Walter no se atrevía ni a hablarme. Me había dicho que era una cita segura. Yo tenía que recoger una maleta en una casa de empeños. Di una vuelta un rato antes, ya sabes, para explorar el terreno. Entré en un café y había un tipo con un periódico junto a la ventana. Pero lo estaba leyendo al revés. Aunque te parezca mentira siguen actuando así, no disimulan mucho, o no saben. Más o menos igual que los nuestros. Entonces salí a la calle y vi a los otros. Cuatro o cinco, medio distraídos, mirando los escaparates, y un taxi vacío y sin la bandera levantada. Eché a andar para alejarme de allí, pegado a la pared, como si llevara mucha prisa, pero ellos también me habían visto. Doblé una esquina y empecé a correr. Iban por mí, no a detenerme, a matarme. Ni me dieron el alto.

—¿Ella está de su parte?

—Ella no sabe nada —lo dijo con desdén—. Hace de correo algunas veces. Walter le dice las consignas y ella se inventa el modo de incluirlas en esas novelas que escribe. Viven de eso. A este cine no viene casi nadie.

Valdivia se sentó en la cama y encendió la lámpara de la mesa de noche. El cristal del tejado era un sucio rectángulo gris en el que se posaba la última luz de la tarde como un niebla de ceniza. Las voces irreales de la película hacían estremecerse ligeramente el suelo bajo nuestros pies. Pensé en Walter, atareado entre las máquinas de la cabina de proyección, preguntándose para qué había venido yo a Madrid, desde Inglaterra, por qué Valdivia no se iba. Oí el ruido de la máquina de escribir e imaginé a Rebeca Osorio inclinada sobre ella, recelando también, mirando el papel en blanco con sus ojos azules, como si en las palabras que iba a escribir pudiera encontrar una respuesta. Valdivia se quedaba en silencio cuando la máquina dejaba de sonar. Hubo casi un minuto en el que no oímos nada, ni la música del cine. Sólo nos mirábamos, sus ojos sin color detenidos en mí, igual que algunos años antes, cuando nos despedíamos, cuando faltaban unos días para la rendición y a él le ordenaron quedarse y a mí que me marchara. Ahora me miento al pensar que en aquella despedida me extrañó la dureza sin fisuras de su certidumbre. Porque yo entonces era como él, y si me uní a los fugitivos fue cumpliendo una orden, y si volví seis años después y maté a Walter lo hice porque seguía obedeciendo una convicción inalterable. El miedo no importaba y no existía la duda. El mundo era como parecían reflejarlo los ojos de cirujano de Valdivia.

Pero uno, a pesar de todo, se habituaba al Universal Cinema, a la presencia ambiguamente hospitalaria de Rebeca Osorio, al ruido de su máquina de escribir disperso entre las voces del cine, y todo lo demás sucedía muy lejos, como desdibujado, incluso las pruebas de la traición de Walter y nuestro propósito de matarlo. Algunas veces, por la tarde, se ausentaba del cine, y era Valdivia, casi restablecido, quien proyectaba las películas. Cuando Walter se iba yo salía tras él, pasaba tardes enteras persiguiendo sus pasos, asombrándome de la sabia naturalidad de sus gestos, porque sabía que yo estaba vigilándolo y calculaba las huidas y los itinerarios como un juego de destreza, usando para escapar de mí callejones sin salida aparente y vestíbulos de hoteles cuya puerta de servicio daba a una calle paralela. Andaba solo y hostil por las aceras populosas, se encontraba con alguien en la barra de una cafetería americana y apenas le daba tiempo a fumar un cigarrillo o a fingir que algo se la caía al suelo, y luego se marchaba subiéndose el cuello del abrigo, con la cabeza ladeada, buscando algo, buscándome, como si yo fuera su sombra y no pudiera desprenderse de mí ni mirarme de frente. Por la noche volvía al cine y conversaba conmigo, le preguntaba a Valdivia por su herida, a Rebeca Osorio por la novela que estaba escribiendo. Cenábamos los cuatro en silencio, como recién llegados a una casa de huéspedes.

Una vez lo seguí hasta un bar grande y muy oscuro de la Gran Vía que frecuentaban alcohólicos de cierta edad y mujeres ostensiblemente solitarias. No me vio. Se sentó en un reservado del fondo y pidió una ginebra. Bebía rápidamente y consultaba su reloj con una ávida impaciencia que yo no le había conocido hasta entonces. Ahora no jugaba conmigo: creía haberme burlado y esperaba a alguien que le importaba mucho. Una mujer apareció en la puerta giratoria y él se puso en pie como si instantáneamente la reconociera por el sonido de sus pasos. Tardé en darme cuenta de que esa mujer alta y desconocida era Rebeca Osorio. Llevaba zapatos de tacón y un traje de chaqueta gris, y en sus largas piernas brillaban unas medias de seda. Se besaron en la boca, se tocaban la cara como para vencer la incredulidad de haberse encontrado y merecido, y en lugar de marcharme yo seguí espiándolos, viéndolos beber los transparentes *cocktails* de ginebra con una íntima devoción de adictos.

Aquella noche decidí que no me acostaría hasta que volvieran. Entré en la habitación donde ella escribía y estuve leyendo una novela recién terminada. Oí pasos en las escaleras: venía sola, y parecía que antes de llegar al cine hubiera vuelto a transfigurarse y que la alta mujer que yo vi a media tarde en el bar no fuera ella. Pero una sombra de sonrisa le duraba en los labios, y en sus ojos azules permanecía una velada lumbre de felicidad y de alcohol.

No creo que entonces llegara a desearla: fue la culpa lo que me vinculó a ella para siempre. Valdivia trazaba planes y me urgía a cumplirlos, pero me iba ganando una lenta indolencia que borraba el tiempo y el orden de los días. Me levantaba tarde, y al despertar ya oía la máquina de escribir, y algunas veces ni siquiera salía para seguir a Walter. Me quedaba viendo películas que ya casi me sabía de memoria, me deslizaba hasta una butaca del fondo cuando ya estaba oscuro y me adormecía oyendo las músicas militares de los noticiarios, dejando para más tarde la obligación de actuar y de hacer caso a Valdivia, que tampoco hacía nada, que algunos días se pasaba horas sentado frente a Rebeca Osorio, mirándola escribir. Era como si también para él se resumiera el mundo en los límites cerrados del Universal Cinema. Pero ni sus ojos ni su voluntad descansaban nunca. Uno pensaba al mirarlo que incluso cuando estuviera dormido los mantendría abiertos, si es que dormía alguna vez.

Valdivia, como Walter, había tenido siempre la potestad de los actos. Mi oficio sólo era mirar sin que

125

supieran que miraba. Una tarde vi lo que tal vez no debía y supe por qué Valdivia parecía tan atrapado como yo mismo por la inercia de la postergación. Entré en el cuarto donde estaba la máquina de escribir y lo vi abrazado a Rebeca Osorio. Era más alto que ella y se apresaban el uno al otro de una manera torpe, como se acoplan dos animales. Cuando Valdivia levantó la cara rozándole las sienes y el pelo con la boca abierta sus ojos incoloros repararon en mí. Cerré suavemente la puerta y no estuve seguro de que él recordara que me había visto. Walter no estaba. Salí a buscarlo por las calles vacías de Madrid.

Yo caminaba tras él por la ciudad pero no tenía sensación de intemperie: en todas partes el aire era tan cálido y tan enrarecido como en el interior del Universal Cinema, y la luz tan gris. Éramos cada uno la sombra multiplicada de los otros y nos buscábamos y huíamos tan solitariamente por Madrid como cuando el último espectador abandonaba la sala y los porteros se iban y no quedaba nadie más que nosotros en aquel edificio, en los corredores y vestíbulos decorados con carteles de películas y fotografías de actrices coloreadas a mano. Walter apagaba las luces al retirarse a las habitaciones más altas, seguido por su sombra, como si dejara atrás las estancias de un submarino lentamente inundado. A medida que mi convicción de que era un traidor se volvía indudable me resultaba más difícil conversar con él y mirarlo a los ojos, porque temía no poder ocultarle lo que estaba pensando, todas las cosas que sabía de él, no sólo que se citaba regularmente con un comisario cuya foto había visto yo en París, sino también todo lo demás, lo que no me importaba, el juego clandestino de sus

126

encuentros con Rebeca Osorio por los bares, cuando parecían enamorados por desesperación y adúlteros de sí mismos, su desconfianza hacia Valdivia, su manera de vigilarlo en los espejos, cuando ella estaba cerca.

Pero temí de pronto que ella también supiera: que hubiera decidido seducir y usar a Valdivia. Cuando los vi abrazados entendí que ya era tiempo de marcharse del Universal Cinema. Fui a ver a Valdivia después de la medianoche y lo encontré escuchando como una voz deseada, con celosa avaricia, el sonido de la máquina de escribir. Le dije que a la mañana siguiente yo mataría a Walter. Usaría un cuchillo: bastaba que durante media hora él distrajera a Rebeca Osorio.

10

Pero yo no sabía que lo que brillaba como un fuego helado en los ojos de ella era la claridad de la locura. Cumplí mi parte de crueldad y destrucción y merecí la vergüenza. Los efectos del amor o de la ternura son fugaces, pero los del error, los de un solo error, no se acaban nunca, como una carnívora enfermedad sin remedio. He leído que en las regiones boreales, cuando llega el invierno, la congelación de la superficie de los lagos ocurre a veces de una manera súbita, por un golpe de azar que cristaliza el frío, una piedra arrojada al agua, el coletazo de un pez que salta fuera de ella y al caer un segundo más tarde ya es atrapado en la lisura del hielo. Así se solidificó el tiempo cuando vi que Valdivia abrazaba a Rebeca Osorio, y que ella agitaba contra él sus caderas, como queriendo derribarlo o herirlo. Todas las cosas recobraron de golpe las duras aristas de una geometría necesaria. La silenciosa espera y las horas que vendrían trazaban, como en las ilustraciones de las enciclopedias, una rígida línea de puntos entre el filo de mi cuchillo y la espalda de Walter, entre la inmovilidad del insomnio que preludiaría la hora de su muerte y mi huida inmediata en el expreso de Lisboa, porque acababan de cerrar la frontera de Francia y no había ningún avión que volara hacia Inglaterra. Para matar en silencio me habían adiestrado en el manejo del cuchillo. Pero Walter, en el último instante, se esfumó como una sombra del cine —pasé años preguntándome si no le habría avisado Valdivia, seducido por ella—, y la persecución deshizo la línea recta que dibujaba mi propósito, enredándome en un viaje circular que sólo ahora, tanto tiempo después, ha terminado de cerrarse. Porque no concluyó cuando al fin lo maté, sólo se sumergió en un camino oculto y muy semejante al olvido y a una imposible y voluntaria inocencia para emerger de nuevo en la misma ciudad donde tuvo su origen, en una edad futura en la que los nombres de entonces volvieron a vibrar bajo una luz amarilla e hiriente como monedas lavadas por el agua. En un piso medio vacío de los arrabales de Madrid, a la hora más silenciosa de una noche de invierno, yo estaba esperando a una mujer que decía llamarse Rebeca Osorio y buscaba a un traidor y guardaba un arma en el bolsillo de la gabardina, más viejo ahora y más cansado y descreído que entonces, pero igual de perdido, igual de solo y al acecho, como si el tiempo no hubiera pasado, ni el vano remordimiento de haberme salvado únicamente para seguir esperando, testigo único y último de lugares y rostros que ya no existían.

Maté a Walter para que no murieran otros hombres, pero su muerte lo arrastró todo hacia la extinción y la ruina. Cerraron el Universal Cinema, Rebeca Osorio dejó de escribir novelas y me contaron que se marchó a México y no volvió a saberse nada de ella, borrada como sus heroínas tras la palabra *fin* en la última página. Valdivia fue detenido y atormentado y murió sin denunciar a nadie. Lo fusilaron maniatado a una silla, porque no podía sostenerse en pie, y no quiso que le vendaran los ojos. Yo lo imaginaba tieso y atado como una estatua de cera, mirando hasta un segundo antes de morir las bocas alineadas de los fusiles con sus pupilas sin color ni expresión. Me llegaban de vez en cuando esas noticias a Inglaterra y yo procuraba que no pudieran fijarse indeleblemente en mi memoria. Yo me había salvado y no era como ellos, los que murieron, los que no supieron esconderse en el interior de otras vidas. Tal vez quienes me habían enviado por segunda vez a Madrid estaban en lo cierto cuando me atribuían el prestigio de la invulnerabilidad.

Tendido en el sofá, mirando la pantalla del televisor apagado, el espacio vacío, pensé que en aquel lugar había algo que repudiaba la presencia humana. Nadie que llegara allí recibiría ni un minuto de hospitalidad, nadie sabría recordar las formas de los muebles ni el color de las cortinas cuando se hubiera marchado. No quería mirar el reloj para no darme cuenta de que probablemente la muchacha ya no vendría. Me acordé de otro reloj: el que ahora mismo, en el almacén, seguiría marcando las siete y veinte. Casi dormido, aletargado por el frío, reflexioné que dos veces al día esas agujas inútiles señalaban la hora exacta. Cerré los ojos: en un sueño brevísimo volví a estar en el hotel de Florencia. Veía multiplicarse con detalle los dibujos del papel pintado, luego oí una llave que se movía en la cerradura y pensé con hostilidad y fastidio que Luque venía otra vez para pedirme algo. Entonces se me detuvo el corazón y sentí con espanto que si no abría los ojos y me levantaba iba a sufrir un colapso cardíaco. Me incorporé como nadando contra una inundación de arena. Rebeca Osorio, su parodia o su doble, me miraba tras la niebla perdurada del sueño y se inclinaba sobre mí mostrándome el esbozo blanco y adivinado de sus senos desnudos bajo la tela del vestido. El brillo de sus ojos y la blancura de su piel tenían intensidades iguales, como una desesperada vehemencia que se negara a sí misma.

—Se había dormido —me dijo—. ¿No tiene miedo de la policía?

—Puede que la policía sea usted.

Traté de recordar dónde estaba mi pistola. Ella se sentó frente a mí y dejó el bolso con desgana en el suelo. Parecía que las últimas dos o tres horas la hubieran gastado infinitamente. Me pregunté cuánto tiempo había estado viéndome dormir, parada frente al sofá, quitándose con cautela el abrigo, para no despertarme. Era un abrigo negro de piel que yacía derramado en el suelo. Tal vez quería hacerme notar que no le importaba mucho. Lo apartó con el pie al inclinarse para buscar un cigarrillo en el bolso.

—Él también desconfiaba de mí —dijo—. Al principio.

—¿Andrade?

—Quién si no.

—Ese hombre del palco —las aletas de su nariz se dilataron al expulsar el humo—. Le hizo daño en el almacén. Usted chilló, como si le hincaran algo.

—No me hizo nada —su gesto de desprecio no sólo aludió a aquel hombre: también a mí, que había estado oculto, escuchando, queriendo ver—. No duró lo bastante.

Me acordé del seco gemido último en la oscuridad, luego del hombre de la espalda torcida, de su proximidad de molusco. Pensar que bastaría, increíblemente, cierta suma de dinero para que esa mujer que hablaba con frialdad ante mí se quedara desnuda y se me ofreciera, sin voluntad, tal vez con odio, tal vez fingiendo que se arrebataba y exigía para abreviar el ultraje, era una turbia confirmación del deseo. Andrade nunca había desconfiado de ella. Yo estaba seguro de que si había algo que le diera miedo no era el peligro de que ella lo delatara, sino su misma existencia y la perfección de su piel y su manera de mirarlo, la casualidad ya inflexible de haberla conocido y de pertenecerle sin remedio. Y mientras la besara pensaría en el hosco destino que se la reveló, en la mujer y en la pálida hija con tirabuzones y en la casa donde las dos esperaban y temían la llegada de una carta o una llamada de teléfono, huéspedes y desterradas en algún país de intratables inviernos, habitado por gentes de mirada muerta y azul cuyo idioma no era posible comprender.

—Hábleme de Andrade —le dije—. Cómo se conocieron, cuándo fue la última vez que lo vio.

Golpeaba el cigarrillo contra la superficie ondulada de una pitillera de plata. Lo sostuvo en alto, con las piernas cruzadas, esperando que yo le diera fuego. Había en su actitud una cansada simulación, como si se acodara en la barra de un bar mirando invitadoramente a los desconocidos.

—Ustedes lo abandonaron —dijo, inhalando el humo mientras alzaba la cabeza—. Se había escapado y nadie le ayudó, y yo no sabía nada, ni por qué lo detuvieron, ni qué hacía. Al principio pensé que era uno de esos viajantes, o que trabajaba en un banco. Tiene cara de eso. Tiene cara de estar casado y de querer a su mujer y a sus hijos. Pero yo no sé nada, nunca le quise preguntar.

—¿Él no le contó por qué lo perseguían?

—Me dijo que era mejor para mí no saberlo. Siempre tenía miedo de que me pasara algo. Pero era yo quien temía por él. Todas las noches solo en la misma mesa, con esa cara, entre esa gente de la *boîte*. Cada vez que faltaba yo estaba segura de que no iba a volver. Y de pronto una noche, cuando salí, me lo encontré en la misma esquina donde me esperaba al principio, echado contra la pared, así, con las manos juntas en el vientre, como uno de esos borrachos que no pueden sostenerse. Me acerqué y le vi las esposas.

—¿Él le pidió que lo llevara al almacén?

—Llamé a un taxi. Se tapó las manos con mi abrigo.

—Y usted misma le abrió las esposas.

—Con una horquilla —respondió velozmente—. Una horquilla del pelo. Él me enseñó.

—Es muy difícil.

—Yo lo hice. Estaba empapado. Le sangraban las muñecas.

—¿Iba a verlo todos los días? ¿Le llevaba comida?

—La comida y todo lo demás. El tabaco, las novelas. Me hablaba de sus amigos. Le extrañaba que tardaran tanto en llegar. Hasta robé en la *boîte* una botella de whisky para él, del verdadero, no el que les dan a los clientes. Pero no me acordé de que no le gustaba. La primera vez que vine aquí también traje una. Todavía debe de estar en la cocina.

No hablaba para responder a mis preguntas. Lo hacía por una supersticiosa necesidad de nombrar a Andrade, para que existiera así fuera de ella y su invocación alcanzara una presencia objetiva. Había sonreído al recordar que no le gustaba el whisky, como si ese detalle encubriera la rememoración de una circunstancia íntima. Dijo que iría a buscar la botella. Caminaba a pasos inseguros sobre unos tacones muy altos, con los hombros echados hacia atrás y la cabeza un poco inclinada, moviéndose con una tranquila lentitud de abandono o descaro, como si volviera de una fiesta en la que bebió demasiado. Venía de beber y estaba dispuesta a seguir haciéndolo. Había traído consigo, en el aliento y en la piel, en la pesada melena oscura y en la ropa, un rastro de humo y de alcohol y de lugar cerrado.

Cuando la vi venir con la botella y los vasos supe que otras veces Andrade la habría mirado desde el mismo sitio donde yo estaba ahora, ávido, esperándola, indagando en su piel los olores de otros, cansado luego y desnudo, con su vientre blanco aplastado contra las caderas de ella, compartiendo la extenuación y el sudor, los cigarrillos rubios.

Llenó los vasos y dejó la botella destapada sobre la mesa. El alcohol daba un brillo helado y ebrio a la claridad de sus ojos. Quería hablar de Andrade y yo era un pretexto y un simulacro de su sombra. Mientras hablara de él la espera de su regreso no sería tan larga. Si rondaba la casa por los descampados cercanos Andrade vería encendida la luz de la habitación donde ella estaba esperándolo. También era muy posible que su única intención fuera retenerme para que él escapara. Pero me daba igual, yo sólo quería escuchar sus palabras y seguir mirando frente a mí los ojos de Rebeca Osorio y presenciar su resurrección imposible.

En silencio, durante una o dos horas, la oí hablarme de Andrade, al principio de una manera general, como se habla de alguien conocido y distante. Iba a la *boîte* algunas noches, siempre solo y como escondiéndose de los demás y de ella misma, del impudor de mirarla cuando se quedaba desnuda, con aquel traje tan raro, que parecía heredado de un pariente muerto, con una luctuosa gravedad de marido infiel, de cajero pobre y honrado o viajante sin éxito. Una noche llegó cuando el local estaba aún casi vacío y ocupó la mesa más próxima al escenario, y fue entonces cuando ella lo vio por primera vez y se dio cuenta de que nunca dejaba de mirarla, siempre a los ojos, incluso cuando se quitaba el vestido, casto y solo en su mesa, bebiendo a sorbos muy breves, fumando con un aire ecuánime, como si al encender los cigarrillos llevara la cuenta de los que se había concedido hasta entonces calculando su efecto, lamentando la irremediable adicción, indiferente a todo, a las mujeres de pestañas postizas y opulentos escotes que se acercaban a él para pedirle fuego o sugerirle que las invitara a una copa. No sabía nada sobre él ni era capaz de imaginar la clase de vida a la que volvía cuando se marchaba mirando por última vez el escenario vacío con aquella mirada de desconsuelo y contrición, pero las pocas cosas que pudo averiguar no las supo cuando él estaba cerca, sino cuando desaparecía tan inexplicablemente como había llegado, y su ausencia era más fuerte y más indudable que él mismo. Sólo descubrió hasta qué punto se había acostumbrado a él cuando vio vacía su mesa de todas las noches, y pensó que ya no volvería nunca, como cualquiera de los otros, pero al cabo de dos o tres noches ya estaba otra vez allí, con el mismo traje y la misma corbata, como si en realidad no se hubiera movido de aquella mesa que sólo él ocupaba, pálido y calvo en la penumbra, bebiendo con pequeños sorbos de abstemio. Tardó en darse cuenta de que no era exactamente la soledad o el pudor lo que lo distinguía de cualquier otro hombre, sino la calidad abismal de su ausencia, y cuando lo supo fue al descubrir que estaba vinculada a él, con quien no había hablado nunca, por un sentimiento menos despiadado que el amor pero igualmente venenoso: una instintiva y mutua conmiseración por el desamparo sin límite en que los dos vivían. Al principio lo compadeció por desearla tanto, y antes de salir a cantar lo miraba por un resquicio entre las cortinas para buscar en su figura pormenores que le incitaran la piedad. Lo compadecía por el cuello un poco arrugado de su camisa y por el torpe nudo de la corbata, por la sospecha de vigor inútil que sugerían sus manos, enlazadas y quietas bajo la pantalla azul de la lámpara, por el remordimiento que emanaba de él como un olor a transpiración, como esos olores alojados en los pasillos de una casa de huéspedes.

No era uno de esos bebedores solos y culpables: bebía únicamente para adquirir el derecho a mirarla, y luego, desde la primera noche en que ella reparó en su presencia, bebió para atreverse a sostener su mirada, que lo había elegido tan inapelablemente como el infortunio o la felicidad eligen a un solo hombre en medio de una multitud. Empezó a no dejar de mirarlo desde que las luces del escenario se encendían para intoxicarse de compasión hacia alguien que sin duda era más débil que ella, y también por una complacencia maquinal en provocar vengativamente una excitación a la que no pensaba responder. Lo veía muy cerca, abajo, a un paso de ella, hundido en la sombra de la sala, y cuando avanzaba hacia el micrófono le parecía sentir, tan nítidamente como el temblor de la tarima bajo sus tacones, el solivianto que su cercanía y su mirada provocaban en él. Imaginarlo débil y entregado la fortalecía: en su contemplación sin voluntad sustentó muchas noches largos minutos de coraje. La primera vez que no lo vio fue instantáneamente herida por el miedo. Quiso pensar que la pequeña mesa junto al escenario ya no volvería a ser ocupada por él y que eso no le importaba. Una semana más tarde, su regreso la conmovió mucho más de lo que ella misma había sido capaz de imaginar. Salió a cantar y el hombre del traje azul marino y la corbata de luto estaba mirándola, exactamente con el mismo aire tenso de desolación y ternura.

Aquella noche, cuando salió de la *boîte*, él estaba parado en un portal de la otra acera, sin abrigo, aunque se avecinaba un amanecer helado, pero al verla caminar hacia un taxi no dio los pocos pasos que ella esperaba que diese y la vio irse como si presenciara la partida de un barco. Unas noches después esa espera ya había cobrado la desesperada fidelidad de una costumbre. Se quedaba quieto, fumando, sin hacerle nunca una señal, sin acercarse a ella, más bien fingiendo que no la veía, con la torpeza definitiva de un adolescente. Una vez ella cruzó la calle y le habló. Andrade se la quedó mirando muerto de miedo y no le supo contestar.

—No le salía la voz —recordó, complaciéndose—. O a lo mejor era ese acento tan raro que tiene.

Bebimos un rato en silencio. Vi en sus ojos que el recuerdo de Andrade no se había detenido cuando cesaron las palabras. Nos mirábamos con una inútil fijeza, sin parpadear, sin movernos, cada minuto más extraños, separados por el espacio de la ausencia de Andrade, por la sospecha de que ninguno de los dos lo veía ya esa noche, ni nunca. El silencio y el frío se apoderaban despacio de nosotros. Ella recogió su abrigo del suelo y se envolvió en él, y luego dio unos pasos por la habitación y se acercó a la ventana.

—Tiene que venir —dijo, apoyando la cara en el cristal—. No puede ir a ninguna otra parte.

Me puse en pie, junto a ella. Había algunas luces encendidas en los edificios próximos, iluminando ventanas de gentes que no dormían o que se levantaban mucho antes del amanecer.

—¿Y si ya no confía en usted? —le dije—. La policía descubrió el almacén. Él puede pensar que usted ha querido entregarlo.

Alzó la mano en un gesto súbito de rabia e intentó golpearme. La detuve, atrayéndola hacia mí, notando en la palpitación de su cuerpo la energía exasperada del odio. Otra mujer me había mirado así muchos años atrás con el mismo rencor frío en los ojos. Durante unos segundos en que su cuerpo y el mío respiraron adheridos el uno contra el otro, como en la tregua de una lucha que nos hubiera agotado, la muchacha volvió a parecerse a Rebeca Osorio, y detrás de lo que me decía yo oí las palabras de la otra, en la cabina de proyección del Universal Cinema, cuando Walter se había esfumado y yo seguía buscándolo y entré allí empuñando un cuchillo que casi no tuve tiempo de esconder.

—Se ha ido —dijo Rebeca Osorio—. Tú y Valdivia creíais que se dejaría matar. Pero os habéis equivocado los dos. Walter es más fuerte que vosotros.

No le contesté. Sus ojos se mantenían detenidos en mí como si tuvieran la potestad de convertir en estatua a quien se atreviera a mirar de frente su transparencia dilatada y azul. En el bolsillo de mi chaqueta yo apretaba todavía la empuñadura del cuchillo.

—Clávamelo a mí —dijo: la clarividencia del odio le permitía adivinar el pensamiento y distinguir las cosas ocultas—. Mátame a mí y diles a los tuyos que fui yo quien os traicionó.

No era ella la que me desafiaba, era la luz de sus ojos y la rabia y la hermosura de su cuerpo, que temblaba y se erguía bajo la camisa, bajo el ancho pantalón masculino. Hasta entonces yo la había mirado con la conciencia de lejanía y mentira con que miraba a las mujeres del cine, a las mujeres prohibidas que no pueden ser tocadas y que no existen en el mundo. Aquel día, la última vez que la vi, se alzó ante mí exaltada por un impulso casi obsceno de locura carnal. Le temblaban los labios húmedos y estaba despeinada. Lo que sobrecogía en su presencia era la temible transfiguración del amor. Me di la vuelta y salí huyendo del cine y tardé más de dos semanas en encontrar a Walter. Nunca me arrepentí de matarlo. Olvidé su cara y su nombre, pero me costó años de insomnio no seguir viendo en todas partes los ojos de Rebeca Osorio.

Eran indestructibles: ahora seguían mirándome en

la cara de otra mujer, y era idéntico su odio. Solté la mano de la muchacha. Me había hincado las uñas. Nos movíamos por la habitación mirándonos con un recelo de animales.

—Hábleme de ese hombre —dije—. El que fuma. Él también iba todas las noches a verla. Tiene un palco. Nadie lo ve de cerca, pero él puede verlo todo. Descubrió a Andrade. Lo reconoció. La compró a usted para tenderle una trampa. Usted le tiene miedo, igual que todos. Todos saben quién es pero nadie se atreve a decir su nombre en voz alta. Quiere algo de usted, pero no lo que puede pagarse, lo que compran los otros.

—No sé quién es —encogiéndose en el interior del abrigo la muchacha retrocedía contra la pared—. Va todas las noches y yo le pregunto al dueño, pero no quiere decírmelo. Nadie puede acercarse a él. Nadie lo ve entrar ni salir.

—Usted le dijo que lo conocía. ¿Ya no se acuerda? Se lo dijo esta tarde, en el almacén.

—Me amenazó. Puede matarme si quiere. Puede hacer que me maten.

—Dígame su nombre.

—Usted ya lo sabe.

—Quiero que me lo diga usted. Ahora no puede oírla.

—Sí puede. Lo oye todo y lo ve todo.

El terror descomponía sus rasgos como si fueran un engaño de maquillaje nocturno desbaratado por la luz del día. En su boca había un rictus de estupidez y fealdad, y respiraba como acuciada por la cercanía del llanto. Tomándola por los hombros la llevé suavemente al sofá. Llené un vaso de whisky y se lo puse entre las manos, pero tiritaba tanto que no podía sostenerlo.

—El comisario Ugarte —al pronunciar ese nombre suspiró echándose hacia atrás, como si se rindiera.

—¿Cómo sabe que es él?

—Andrade me lo dijo. Era Ugarte el que lo interrogó cuando lo detuvieron.

—¿Le vio la cara?

—Ningún preso puede vérsela. Les pone una lámpara antes los ojos, o hace que se los venden. Lo vio fumar a oscuras.

—¿Ha estado con él ahora? —me senté junto a ella y la obligué a levantar la cabeza y a mirarme— ¿Ha estado con el comisario Ugarte antes de venir aquí?

Dijo que no y se escapó de mí dejándome entre las manos su abrigo de piel. Tuve la tentación de preguntarle si había estado con otro hombre. Pero ésa era la pregunta que Andrade nunca se atrevería a hacerle. Bebió un trago de whisky, y al limpiarse los labios un lado de su cara quedó manchado de carmín. La esperaría hasta muy tarde igual que yo había esperado, en el mismo sofá, negándose al sueño y a la vejación de imaginarla en los brazos de otros. Llevándose la botella y su vaso vacío me dio la espalda y se alejó hacia el dormitorio. Antes de entrar en él se volvió para mirarme. Lo hizo como si examinara una habitación desierta.

Oí el conmutador de la luz, luego los muelles de la cama. Sólo al ponerme en pie me di cuenta de que había bebido demasiado. Notaba una presión creciente en los huesos del cráneo, como los dedos de una gran mano que me oprimiera las sienes. Me pregunté cuándo y dónde había dormido por última vez.

Pero todas las cosas que me sucedieron antes de llegar a Madrid tenían una irrealidad de pasado lejano. Veía mis pies moviéndose hacia el dormitorio con una torpe lentitud y me parecía estar viendo desde arriba los pasos de Andrade, no su cuerpo ni su cara, sólo sus pies caminando sobre los adoquines de calles desconocidas, húmedas bajo la bruma del amanecer.

—Acérquese —dijo la muchacha—. Beba conmigo.

La miré desde el umbral. Estaba recostada en la cama, ofreciéndome el vaso con una deferencia estática, como las mujeres tendidas de las alegorías. Me senté a su lado, sin rozarla, y apuré el vaso mirando el miedo y la mentira en sus ojos. Cuando se incorporó para volver a llenarlo la atraje hacia mí, y en ese momento todo su cuerpo se volvió tan inerte y extraño como el de alguien que duerme. La veía detenida y perdiéndose en una lejanía cóncava, atado a un peso invencible que me demolía sobre ella, sobre la almohada donde de pronto ella no estaba apoyándose. Razoné con la precisión absurda de las alucinaciones que el efecto del alcohol era más peligroso cuando se llevaban muchas horas sin comer.

—Se ha puesto muy pálido —oí que me decía—. Tiéndase. Le traeré una toalla húmeda.

Me tocó la frente con la mano extendida. Dijo que tenía fiebre, y cuando ya se iba la quise retener y se desprendió de mí echando violentamente a un lado la cabeza. Otra vez se perdió en la oscuridad y la distancia, y yo intentaba levantarme y me parecía que mis manos era pesadas ataduras y que mi cuerpo nunca más obedecería a mi voluntad. Oí el ruido de un grifo del que tardaba en salir el agua, y el metal chirriando y el gorgoteo del aire en la cañería me hicieron sentir una agria sed sin consuelo. Cuando volví a oír pasos que venían pensé que no eran los de ella, pero ya no pude abrir los ojos para comprobarlo.

11

Alguien me había mirado desde la verticalidad de su sombra, repetida como una presencia oscura en el espejo del tocador, que iba siendo escarchado por la primera luz opaca del amanecer, alguien había dicho mi nombre y jadeado contra mí mientras unos dedos sabios y múltiples como patas y hocicos de pequeños animales buscaban en mis bolsillos y en los repliegues más hondos de mi ropa, y yo había intentado defenderme con una tenacidad imaginaria, porque soñaba que me revolvía y que daba patadas pero permanecía inmóvil, apretando los dientes con un brío tan furioso que los notaba como desmoronándose en mi boca, queriendo abrir los ojos y manteniéndolos cerrados hasta que me dolían. Alguien respiraba en la habitación y cuando yo creía abrir los ojos sólo estaba soñando que los tenía abiertos, y lo que veía eran las imágenes de un sueño que tal vez se parecía a la realidad igual que esa sombra que estaba mirándome se parecía a su doble inverso del espejo. Alguien andaba muy cerca y volcaba los cajones y tiraba al suelo los trajes y los libros de Andrade, y su sombra tapaba de vez en cuando la luz sobre mis párpados cerrados, como cosidos por esparadrapo. Igual que un paralítico ciego que revive en un sueño cruel el tiempo en que podía moverse y mirar, yo quería levantarme y mi cuerpo se tensaba en espasmos inútiles. Sólo apretaba los dientes y me hincaba las uñas en la piel muerta de las manos y sabía que un impulso desesperado de la voluntad me permitiría abrir los ojos y emerger de la asfixia, pero era imposible, las manos se agitaban sobre mí y una respiración caliente con hedor a tabaco me humedecía la cara, una boca blanda y abierta que decía mi nombre y preguntaba cosas a las que tal vez yo respondí en la confusión de mi delirio.

Cuando al fin pude despertar estaba tendido boca abajo en el umbral del dormitorio, oyendo un crepitar continuo como de ramas secas que ardieran o de guijarros empujados por una sucia marea. Avancé apoyándome sobre los codos, arrastrando mi cuerpo y las sábanas que cuando caí de la cama se me enredaron a las piernas, y recordé que había intentado luchar contra algo o alguien que me aplastaba los pulmones y que fui derribado perdiendo así el último asidero que me vinculaba a la conciencia. El rumor de guijarros y de hojas secas o ramas crepitando en el fuego se convirtió ahora en un espejismo visual, un grumoso telón como de rápidos fogonazos de nieve, puntos de luz que se apagaban y encendían ante mis ojos. Yo había despertado, pero seguía ignorando quién era y dónde estaba, y para saberlo tuve que cruzar en un instante lentísimo todos los despertares más ingratos de mi vida, los recordados y los olvidados, los despertares de la guerra en barracones húmedos y frente a cielos extranjeros y grises, los de la infancia y hasta los del porvenir. Me puse en pie. Me apoyé en el filo resbaladizo de la mesa, doblándome sobre ella, vi la niebla monótona que se agitaba en la pantalla sin imágenes del televisor. Lo apagué y agradecí el inmediato silencio como un remedio contra la locura.

Recobraba la noción del espacio, pero seguía nebulosamente perdido en el tiempo. Alguien había pisado mi reloj, partiendo las agujas y pulverizando con saña el cristal. Afuera, tras la ventana, el horizonte bajo y nublado no permitía calcular si aún duraba la mañana o se aproximaba el atardecer. Sobre los descampados se levantaban edificios en construcción rodeados de zanjas y altas grúas inmóviles. Al acercarme a la ventana vi mi gabardina tirada en el suelo y me acordé de la pistola y del sobre donde guardaba la documentación falsa y el dinero de Andrade. Había ceniza en todas partes y pequeñas colillas chupadas hasta quemar el filtro. Era inútil buscar. Los dedos que me tocaban mientras dormía como queriendo morderme habían hurgado también en los bolsillos de la gabardina, llevándose hasta la lámina de metal que usé para forzar la cerradura del almacén.

Sentado en el sofá, con la gabardina sobre las rodillas como una bandera fracasada, volvía a abrumarme una antigua sensación de despojo. Tanteaba los pliegues de mi ropa como un mendigo que está buscando una última moneda improbable, entorpecido por una sorda resaca de alcohol y somníferos, por el oprobio y la contrición de haber bebido tanto. No recordaba casi nada de la noche anterior, sólo la certidumbre de que me habían engañado y de que yo lo sospeché y no hice nada por defenderme, envenenado de nostalgia y deseo por el abuso del alcohol, hechizado e inerte, notando que todas las cosas se me

147

volvían cada vez más extrañas, esa luz en el dormitorio, esa mujer tendida ofreciéndome otra vez el vaso donde brillaba un licor amarillo, y luego nada, la boca manchada de rojo que tal vez intenté besar, pero no me acordaba, y esa desmemoria final hacía más dolorosa la vergüenza.

Recorría las habitaciones sin saber qué estaba buscando, no la pistola ni los documentos de Andrade, pero sí al menos mi cartera, mi pasaporte, cualquier cosa que afirmara que yo seguía siendo alguien, el hombre que había llegado la tarde antes a Madrid, el que podría cruzar sin riesgo las aduanas y volver a su casa de Inglaterra y olvidarlo todo, Darman, ese nombre estaba escrito en tarjetas de cartulina blanca, en el letrero de mi tienda de libros, sobre la puerta que hacía sonar una campanilla al abrirse. Me arrodillé en el dormitorio para buscar entre los cajones derramados, apartando las cosas que habían pertenecido a Andrade, sus camisas, sus trajes tirados y pisados, y allí, debajo de la cama, encontré mi pasaporte y unas pocas monedas, y sólo entonces recordé, con una trémula felicidad que se parecía a la angustia, que había dejado en la consigna de la estación mi bolsa de viaje. Pero la memoria se me iba, igual que perdía el equilibrio cuando me levantaba. Temí no recordar dónde había guardado la llave. De nuevo busqué en los bolsillos vacíos aunque sabía que era imposible que estuviera en ellos. La gabardina, el pantalón, la chaqueta, los pequeños pliegues interiores, el forro, el temblor de los dedos, la recobrada angustia. Pero no podían habérmela quitado: recordaba que la escondí muy bien, pero no dónde, y era atrozmente posible que no llegara a saberlo. Una llave plana, con un número, doscientos doce, de eso sí me acordaba. Por precaución no la escondí en el forro del sombrero. Dónde entonces. Urdía con lentitud febril un razonamiento y a la mitad se me borraba como corroído por un ácido. Al salir de la estación aún la llevaba en la mano. Me detuve en alguna parte antes de ir al almacén. La pistola todavía estaba dentro de una bolsa de aseo. Olía a colonia, a loción masculina. La memoria de los olores era más fiel que la de mis actos: la colonia se confundía con un denso hedor a orines. Había dejado la bolsa de plástico en el retrete de un bar. Asociaba cada imagen a otra con un obstinado esfuerzo de la voluntad, como si estuviera a punto de desvanecerme y de olvidarlo todo otra vez. El ruido de la cisterna, la pistola recién engrasada en mi mano. La guardé en un bolsillo y luego escondí la llave de la consigna. Dónde.

Me había sentado en la cama, mirando al suelo, con la cabeza descolgada entre los hombros. El peso de la mala noche y del alcohol y los somníferos me gravitaba en la nuca. Miraba mis zapatos sucios de barro como si pertenecieran a otro, como si fueran dos zapatos cuarteados y solos que alguien hubiera abandonado junto a un cubo de basura. En aquella taberna me había sentado en el filo del retrete para revisar la pistola. Entonces recordé: la llave estaba en el zapato derecho, en la hendidura entre el tacón y la suela. Me incliné y tuve náuseas y vértigo como si los zapatos estuvieran en el fondo de un pozo. Toqué con las uñas el filo dentado de la llave, la miré en la palma de mi mano como una moneda enigmática.

Ya era tiempo de irse. De aquella casa de nadie, de

aquel paisaje estéril y fronterizo de bloques de pisos coronados por antenas de televisión que ni siquiera se parecía a una ciudad, a Madrid. Vi en el espejo del armario la innoble palidez de mi cara, el mentón oscuro, los ojos dilatados y grises, con diminutas manchas rojas en los lagrimales. La noche anterior era mentira, y el regreso enaltecido del tiempo. Conté las monedas: no estaba seguro de que bastaran para un billete de Metro. Salí a la calle, y la gente se me quedaba mirando al cruzarse conmigo, miraban mi gabardina maltratada y mi camisa abierta y mi cara sin afeitar. Me eché el ala del sombrero sobre los ojos, para que nadie pudiera verlos, y en los túneles y en los vagones del Metro vigilaba todos los rostros por si lograba descubrir a un policía emboscado: tal vez si no me quitaron el pasaporte ni la llave de la consigna fue para empujarme a huir en una dirección calculada por ellos. Pensaba en la muchacha y me repetía en silencio la pregunta única que quise hacerle y que acaso ya no me contestaría nunca. La veía frente a mí, recostada en la cama, con el vestido azul marino del que surgían sus muslos como una aparición, ofreciéndome el veneno del sueño igual que si me rindiera un tributo que yo no me atreví a desear.

Pero yo ya sólo quería apresurar el olvido para detener el maleficio de la noche anterior. Si lo lograba mi memoria quedaría tan lisa como la superficie congelada de un lago. Es la amnesia y no el perdón lo que solicita esa gente que se doblega en las iglesias con los ojos cerrados. Pero en los andenes y en las escaleras del Metro y en el vestíbulo de la estación de Atocha la multitud era una ciénaga de rostros que multiplicaban el mío, de ropas tan gastadas y oscuras como las que yo llevaba, y en todas las cosas que veía a mi alrededor se perpetuaba la culpable indignidad de la noche, como si la luz del día no la hubiera abolido, aquella luz que parecía filtrada por cristales sucios, irrespirable y clausurada bajo las bóvedas de hierro, como la claridad de un mundo cuyo sol se extinguía. Junto a la puerta de la consigna había un guardia uniformado de gris. Pasé a su lado y ni siquiera me miró. El miedo tenía una consistencia pegajosa, una sugestión abyecta de mansedumbre y gratitud.

Tardé en abrir la estrecha puerta metálica de la taquilla, imaginando que no encontraría nada en su interior. Pero mi bolsa de viaje estaba allí, inalterada y leal, oliendo a ropa limpia y a cuero, como la penumbra de mi casa cuando regresara a ella contando una tranquila mentira. Bastarían unas pocas palabras para que esa noche de Madrid no existiera. Comprobé con inmediato alivio que el dinero aún estaba escondido donde yo lo guardé, pero aquel fajo de billetes ingleses no me pareció más valioso que el estuche de aseo o las camisas dobladas y limpias. Afeitarme cuanto antes era una imperiosa necesidad moral. Lo hice en el mismo lavabo donde alguien se había reunido conmigo en un viaje anterior. No vería nunca más a ninguno de ellos. Que me buscaran en vano, que me maldijeran. Cambiaría el número de mi teléfono y les devolvería sus postales de paisajes en technicolor. Las paredes del lavabo temblaban al paso de los trenes, y había charcos de agua en el suelo y jirones de periódicos. Pero cuando me lavé las manos y la cara fue más indudable el olor del jabón que había traído de Inglaterra, y mientras me afeitaba, al bo-

151

rrar de mis facciones los signos de la fatiga y la sombra gris de la barba, empecé a recobrar débilmente la sensación de invulnerabilidd que durante tanto tiempo había aprendido a poseer o a fingir porque me la atribuían las miradas de otros. Metódicamente me transfiguraba en el espejo. El mentón rasurado, los puños blancos de una nueva camisa —la que llevaba la tiré—, la corbata de seda, los ojos todavía enrojecidos y las pupilas extrañas, como si sólo en ellas durara la escoria de la noche.

El reloj del vestíbulo señalaba las doce y media. Recordé que a las seis de la tarde había un vuelo hacia Londres. Durante cinco horas, aunque yo no quisiera, probablemente seguiría cumpliendo mi parte de ficción. Alguien, tal vez, andaba tras mis pasos, pero no me importaba mucho, casi lo prefería, porque en la mirada y en la imaginación de quien estuviera persiguiéndome mis actos cristalizarían en un propósito ilusorio. Cambié dinero en un banco, y el empleado me habló con ese tono un poco alto de voz que suele usarse con los extranjeros, articulando cuidadosamente las palabras. En la otra esquina del mostrador, mientras esperaba, un hombre de mediana edad se quedó mirándome. Pero yo no era español, a mí no podían detenerme. Caminé un rato por la ancha acera desierta del Jardín Botánico y nadie me siguió. Del otro lado de la verja venía un poderoso olor a tierra removida y a corteza húmeda de árbol. Tenía que llegar al aeropuerto a las cinco. Crucé el Paseo del Prado y pedí una habitación en el hotel Nacional.

Al pisar las sigilosas alfombras sentí que estaba transitando de una vida hacia otra, y que ninguna de las dos era verdad. Todo se diluía como la noche en el alba, como la fatiga de mi cuerpo en el agua caliente, cuando cerré los grifos del baño y me hundí tan suavemente como si me abandonara al sueño, casi flotando, inmóvil, con los ojos entornados, oyendo el leve rumor de las ondulaciones del agua.

Respiraba muy despacio el aire denso de vapor, opaco y blanco como las nubes que vería desde la ventanilla oval cuando el avión ascendiera y percibía con desfallecida gratitud cada minuto de indolencia, mirando mi cuerpo plano y alargado ante mí, entre la espuma del agua, tendido y reviviendo como un pálido animal submarino que estremece las algas, la tenue arena del fondo. Como si el vapor se condensara en apariciones translúcidas yo veía sucederse los rostros que conocí en los últimos días, la mancha de una sola cara que iba convirtiéndose en otras igual que una nube adquiere la forma de una cabeza de león y luego la de un castillo y la del perfil de una moneda y luego se desvanece todo en jirones blancos. La cara del hombre que me recogió en el aeropuerto de Florencia se me dibujaba exactamente en el recuerdo y unos segundos después empezaba a borrarse y adquiría las facciones de Bernal, y éstas eran suplantadas por las del recepcionista del hotel Parigi, precisas por un instante, perdiéndose en seguida para convertirse en otro rostro, el de Luque, el de Andrade en la foto del pasaporte falso, el que apareció enmarcado en la mirilla de la *boîte Tabú*. Y al final todos se resumieron en uno, como las galerías de un museo en el que se guarda un solo retrato memorable, el de Rebeca Osorio, su deseada y futura falsificación, volviéndose hacia mí desde la oscuridad del pasado,

153

desde el recuerdo otra vez acuciante de la noche última.

Cerraba los ojos, pero seguía viéndola, como emergida lentamente del agua, como emanada de mi cuerpo y del vapor caliente en una excrecencia vegetal, apretaba los párpados y veía de nuevo el fulgor instantáneo de su desnudez, su cuerpo frágil y lívido contra los reflectores azules y su cabeza que se doblaba hacia atrás como si una mano invisible la hubiera atrapado por el pelo y tirara de ella. Ascendía reluciente de espuma entre los turbiones del agua, anudada a mi vientre en un largo espasmo líquido, cálida y al mismo tiempo imaginaria, inexistente y entregada y hostil como las mujeres de las postales obscenas. De pronto me dio miedo pensar que no era inalcanzable. Salí del agua temblando de frío y de deseo y vi mi cuerpo pálido disgregado en el vaho que cubría el espejo, y recordé los números que el portero de la *boîte Tabú* había escrito en la ventanilla empañada del taxi. Ahora yo los escribí en el cristal, como si trazara las letras de un nombre mágico y oculto, y tal vez deseé y temí que cuando se borraran desaparecieran de mi memoria. Pero el cristal se volvió poco a poco tan nítido como un paisaje del que se levanta la niebla y el número permaneció intacto en mi recuerdo.

Alguien que no era yo me suplantaba y decidía mis actos. Intoxicado de antemano por la imaginación, impaciente, temerario, cobarde, me envolví en una toalla y me quedé sentado en la cama mirando el teléfono de la mesa de noche, como quien espera tan ávidamente una llamada que levantará el auricular en el mismo instante en que empiece a sonar el timbre.

Pero a mí nadie me llamaría: era yo quien iba a hacerlo, yo o ese doble oscuro que nos usurpa las decisiones del deseo y niega enconadamente la dilación y la vergüenza. Pensé: todavía no habrá encontrado a Andrade, todavía tendrá la pistola y el pasaporte. Recordé que me quedaban menos de cuatro horas para llegar al aeropuerto. Puse la mano húmeda sobre el auricular. La retiré como si hubiera tocado una materia viscosa en la pared de un túnel. Sabía que era necesario darle al recepcionista una explicación a la vez suficiente y ambigua y ofrecerle con cautela algo de dinero. Comprendió en seguida y su voz en el teléfono adquirió un murmullo de confabulación cuando se me brindó para hacer él mismo la llamada. Dije que no. Marqué una a una las cifras queriendo imaginarme cómo sería la habitación donde la muchacha esperaba. Un gabinete con las cortinas cerradas, supuse, con divanes y luces indirectas. La señal sonó muchas veces sin que ocurriera nada. Yo sostenía el teléfono con un ensañamiento inmóvil, temiendo que no respondiera nadie, casi agradeciéndolo.

Iba a colgar cuando me habló una voz de mujer, más bien fría y ecuánime, un poco soñolienta, como la voz de una telefonista nocturna. Le dije lo que quería y el nombre del hotel donde estaba. En sus palabras había un tono de secreto y de reprobación, como si lamentara la lujuria y la debilidad de los hombres y se viera obligada a secundarlas a pesar de sí misma. Me pareció que notaba en la cara el auricular humedecido por su aliento. Dijo precios y nombres con una monotonía de mercader huraño. «Miriam», dijo, «Laura, Gina». Le pregunté por Rebeca y se quedó unos segundos callada, respirando. «Sí», dijo, como si accediera a una petición muy difícil, «también Rebeca». Me habló de un precio más alto y me preguntó mi nombre. Le dije el número de mi habitación. Aseguró que yo no tendría que esperar más de media hora, tal vez menos, según lo que tardara la muchacha en encontrar un taxi. Luego colgó secamente, sin decir adiós.

Para distraer la lentitud del tiempo me vestí despacio ante el espejo del armario. Neuróticamente calculaba los minutos gastados y los que me quedaban todavía como si contara las monedas de un tesoro fugaz. Cada vez que oía detenerse el motor de un automóvil me asomaba al balcón, pero nunca era ella la que caminaba hacia la marquesina del hotel. Miraba ahora, desde arriba, una ciudad que no parecía española: árboles alineados hacia la lejanía gris, edificios blancos sobre los que ondeaban banderas internacionales. Cerré las cortinas y encendí la lámpara de la mesa de noche. En la penumbra el rumor de la ciudad agrandaba el silencio. Anticipadamente la veía venir, recién maquillada, fumando, perfilada en un cristal tras el que huían los árboles y las calles de un Madrid irreal, preguntándose con rencor y desdén cómo sería el hombre que iba a abrazarla al cabo de unos pocos minutos. Imaginaba sus rápidos pasos en la acera, sorteando la lluvia, sus tacones que resonarían en los peldaños de mármol, amortiguados luego en las alfombras rojas del vestíbulo. Esta vez no la dejaría irse sin averiguar quién era y por qué usaba el nombre de Rebeca Osorio y se peinaba como ella. Para olvidar yo tenía primero que saber: para curarme de la venenosa ofuscación del deseo era preciso que pudiera cumplirlo hasta su mismo límite, y mar-

156

charme luego para siempre y no volver ni recordar. Pero yo no estaba seguro de que fuera deseo aquella necesidad de tocar con mis manos la consistencia de una sombra, y cuando al final supe que venía y le abrí la puerta y la miré parada en el umbral noté una súbita conmoción de frialdad y de vacío y me arrepentí de haberla llamado y de no estar viajando en un avión hacia Inglaterra. Al principio no pudo verme la cara, porque yo estaba de espaldas a la luz, y cuando dio unos pasos hacia mí y me reconoció hizo un vago ademán de volverse, una tentativa falsa de escapar de la que ya había claudicado cuando cerré la puerta tras ella. No parecía sorprendida de verme, no me tenía miedo ni se rebelaba contra el engaño. Estaba allí, mirándome, en la habitación del hotel, igual que podría estar en cualquier otra parte, en aquella casa donde pasaría las horas esperando una llamada de teléfono, en el escenario de la *boîte Tabú*, alumbrada por los focos azules que aislaban su alta figura en el espacio y en el tiempo, como si nunca hubiera pertenecido a ningún lugar ni a ninguna mirada, a nadie, ni a sí misma.

12

Estábamos parados el uno enfrente del otro y parecía que hubiera entre los dos un precipicio de soledad y distancia y que el azul de sus ojos fuera la luz de un país que yo no alcanzaría nunca. Llevaba un chal sobre los hombros, y cuando se lo quitó fue como si su talle brotara de la amplia falda circular como de una corola. No había palidez en su piel, sino una exaltada blancura que se volvía más hipnotizadora por el contraste con el color negro del vestido. No era esa piel casi albina y rosada de las mujeres de los países fríos: deslumbraba en ella la sugestión inmediata de la cercanía de un cuerpo cuya desnudez era anunciada por su blancura como un firme vaticinio de perdición. Yo la miraba frente a mí, la piel blanca, los pómulos rosados, el pelo tan negro como la tela del vestido, la claridad marina y celeste de los ojos, el tono un poco más oscuro de los párpados, que daba a su cara una severa convicción de dolor. Yo sabía que la estaba mirando de una manera desconocida y prohibida, queriendo aprenderme no sólo la forma exterior de su rostro y la línea que descendía desde el cuello y las desnudas clavículas hasta el filo horizontal del escote, sino también la tensión y el latido de la piel en los huesos y el interior de las pupilas y el desamparo y el orgullo de su alma. Así se vestían y miraban las heroínas de las novelas de Rebeca Osorio, pero ella era demasiado joven para que la imitación fuese exacta. Lo comprendí todo al verla sonreír: mientras ella me hacía beber para narcotizarme Andrade estaba esperándola abajo, junto al portal de aquella casa, dando vueltas para liberarse del frío y mirando a veces hacia la ventana iluminada, como un guardián o un amante celoso.

—Se ha ido —dijo—. Esta mañana. Ni usted ni nadie puede hacerle ya nada.

Dejó el bolso y el chal encima de la cama con la determinación de quien se dispone a cumplir una tarea breve y enojosa y siguió mirándome con los brazos cruzados. Ahora no la deseaba. La tenía al alcance de mi mano y era como una figura sin volumen, aparecida en un espejo. Se sentó en la cama y encendió un cigarrillo. Pensé que su boca sabría a nicotina y a carmín. Permanecí de pie, sin decirle nada, queriendo contener la palpitación de la sangre en mis sienes. Me daba miedo que siguiera desnudándose, ajena a mí, indiferente, como si hubiera vuelto sola a su casa después de caminar mucho y deseara dormir. Se había quitado los zapatos y balanceaba los pies, flexionando los dedos, extendiéndolos para mirarse las uñas, que estaban pintadas de rojo, como las de las manos. Se subió la falda casi hasta la cintura y empezó a desabrocharse las medias. De pronto se detuvo y pareció que recordaba algo. De mi conciencia habían desaparecido las preguntas que pensaba hacerle. Yo sólo la miraba, todavía de pie, tan invisible como cuando estaba oculto en el almacén y la oía respirar, tan escondido.

—Tiene que pagarme —dijo—. Primero tiene que pagar.

Busqué el dinero y separé al azar un puñado de billetes, haciéndole ver que renunciaba a contarlos. Había en nuestros actos una sórdida lentitud que los dos acatábamos. Sin rozarla siquiera, como un cliente educado y cobarde, me senté a su lado y dejé el dinero en la mesa de noche, bajo la lámpara encendida. No lo miró. Pero yo ya conocía esa expresión de orgullo parecido a la ausencia.

—Aunque quiera mentirme no puede —le dije—. Yo sé que es su hija.

—La hija de quién —era como si ignorara hasta la entonación de las preguntas, no sólo el hábito o la necesidad de hacerlas.

—De Rebeca Osorio —me volví con un rápido ademán para mirarla a los ojos, pero en sus pupilas no había nada, ni piedad, ni desprecio—. Mira como ella. Cuando no quiere hablar cierra los labios como ella.

—Todavía no me ha pagado.

No le bastaba con pedirme el dinero: quería que se lo pusiera en las manos, que no quedara duda alguna sobre la razón de su presencia. Doblé los billetes y se los ofrecí. Antes de tomarlos su mano derecha hizo un leve movimiento retráctil.

—Cuéntelo —le dije—. Le daré más si quiere.

—¿Paga siempre a las mujeres?

—No a todas —el humo del cigarrillo le cruzaba la cara—. No siempre.

—Usted tiene demasiado dinero —guardó los billetes en el bolso y lo cerró con un golpe seco—. Yo no sé lo que hace Andrade ni por qué ha tenido que huir, pero usted se viste demasiado bien para ser amigo suyo. En cuanto lo vi ayer me di cuenta. Él nunca podría pagar una habitación como ésta.

—Pudo pagarla a usted —dije, con una ciega voluntad de insultarla. Pero nada que yo hiciera o dijera la vulneraría nunca.

—Era yo quien pagaba —dijo, con soberbia y desdén, erguida sobre la cama, retrocediendo, como si temiera que yo fuese a avanzar hacia ella, impúdicamente retadora y vulgar, como una música de tango—. Yo se lo compraba todo. Las mejores camisas. Ese traje que llevaba cuando lo detuvieron. Yo le daba dinero para que pagara en los hoteles. Él no entiende de nada, no sabe lo que valen las cosas. Parece que hubiera venido de otro mundo.

—Ha venido de otro mundo —me acordé de aquella fotografía en el mar Negro, del bañador de plástico—. Y ahora ha vuelto a él. ¿Sabe por qué no le pidió que se marcharan juntos?

Dobló la almohada. Apoyó en ella la cabeza y se tendió del todo, quitándose las medias. Cuando empezó a desabrocharse el vestido le sujeté las manos.

—Todavía no —le dije, tan cerca que notaba el olor de su piel—. Quiero hablar con usted.

—No me ha pagado para hablar.

—Usted qué sabe.

—Claro que lo sé —ahora estaba burlándose—. Es como ese comisario. Le gusta mirar y tocar pero no hace nada. No puede. A lo mejor le da miedo de mí.

Le solté las manos y me aparté de ella. No se movió: fumaba sin quitarse el cigarrillo de los labios, inhalando el humo con los ojos entornados, como las mujeres canallas del cine, imitándolas. Me estaba comparando con su recuerdo de Andrade, con su dura y desconsolada presencia, que tal vez ya no recobraría. Pero yo no era mucho peor que él, sólo algunos años más viejo y más desengañado, y mi lejanía de ella no podía ser más insalvable que la que hubo entre los dos cuando se conocieron, y también ahora mismo, porque era muy probable que no volvieran a verse y que sucumbieran despacio, cada uno en un extremo de Europa, en dos vidas de similitud imposible, a la segura tentación de olvidar. Sin duda su último encuentro ya estuvo contaminado de distancia futura: me pregunté si cuando se reunieron al amanecer después de dejarme atrapado en un sueño de narcóticos, les quedó tiempo para compartir unas horas en alguna habitación de hotel, desesperados, sabiendo que toda caricia y toda mirada eran ya los atributos finales de la despedida.

—¿Ha ido con él al aeropuerto esta mañana? —le dije—. ¿Le ha prometido que volverá?

—Sé que no va a volver —lo dijo con una naturalidad ausente, como si no le importara, como si hubiera contado siempre con la certeza de perderlo. Pero él tampoco volvería a su primera vida, a la mujer y a la niña triste de la foto. Tal vez aprendió en una cualquiera de sus noches en Madrid que se estaba convirtiendo no en un traidor ni en un adúltero, sino en un proscrito sin remedio. Hacia dónde viajaría ahora mismo, pensando en esa mujer que yo tenía inútilmente ante mí, con cuánto miedo y dolor imaginaría el resto de su vida sin ella, sin nada de lo que había poseído y deseado hasta entonces.

—Vamos —dijo la muchacha—, acérquese. Tengo que irme pronto.

—No hay prisa. Le pagaré más. ¿Se ha llevado él mi pistola?

—Yo no se la quité.

—No me siga mintiendo. Cuando me desperté la pistola no estaba. Usted me la quitó.

—Pensé hacerlo. Pero yo sólo quería el pasaporte y el dinero.

En aquella cara, en sus ojos, la mentira y la verdad eran expresiones iguales. Si lo que decía era cierto yo no podría averiguarlo. A qué seguir interrogándola entonces, si me estaba negada la posibilidad de saber. Sería más razonable que la dejara irse, que me volviera de espaldas para no ver cómo se vestía de nuevo, cómo tomaba el bolso y se ponía el chal sobre los hombros y cerraba la puerta. Miraría otra vez hacia la cama sin encontrar más pruebas de su presencia que una colilla manchada de rojo en el cenicero. Pero yo no me rendía, a pesar de mí mismo, no lograba apaciguar ni la tensa excitación de mirarla ni la necesidad de preguntarle quién era y qué había sido de Rebeca Osorio, si vivía aún, si quedaba de ella algo más que la luz de sus ojos sobrevivida en la cara de otra.

—Yo conocí a su madre —dije—. Hace años, cuando usted no había nacido.

No respondió: me pareció que estaba hablándole de un edad muy lejana. Pensé con extrañeza que lo que yo recordaba era para ella un tiempo que no existió, el mundo falso de la memoria de otros. Pero me di cuenta de algo, una sospecha que debió inquietarme antes y que sólo ahora mi conciencia aceptaba: tal vez cuando yo la conocí Rebeca Osorio ya estaba embarazada. Así el pasado y el presente se unían

164

como dos lugares distantes comunicados por un túnel y era más poderoso y amargo el sentimiento de la profanación, el de la antigua culpa. Aún duraban la muerte de Walter y la soledad y el desarraigo de la mujer que amó. Pero yo tenía que saber, era preciso que siguiera preguntando, aunque me condenara.

—¿Vive todavía? —dije—. ¿Volvió a Madrid?

—Me abandonó —contestaba con odio—. No sé nada de ella.

—¿Le hablaba de su padre?

—Nunca. Vivía con otro.

—¿Es verdad que se fue a México?

—¿Quién le ha dicho eso? —me miraba como si mis preguntas sólo merecieran desdén—. Vivíamos fuera de Madrid, no me acuerdo dónde, en un sitio pequeño. Él se iba y volvía, pero nosotras no salíamos de aquella casa. Nunca se hablaban. Se sentaban en la mesa y comían mirándose, como si se vigilaran. Yo tenía cinco o seis años, pero me acuerdo bien de cómo se miraban. Luego mi madre se encerraba en una habitación y ponía la radio muy alta. Yo la llamaba y no me abría. La llamaba porque tenía miedo de quedarme sola con él.

—¿Se encerraba a escribir?

—¿Cómo lo sabe?

—No importa. ¿Creía usted que él era su padre?

—Yo no creía nada —se detuvo para encender un cigarrillo. Tragaba el humo y lo expulsaba como buscando el desvanecimiento del opio, como quien bebe con la premura de la desesperación. Sucedía en ella algo que yo no había presenciado hasta entonces y que daba a sus pupilas una sombría densidad, como la que adquiere el mar en los primeros días del invierno.

—Yo no creía nada —repitió—. No lo llamaba de ninguna manera. Se sentaba con el periódico en la mano y se quedaba mirándome. Nunca me acuerdo de su cara, ni de su voz. Lo veía acercarse a la puerta de la habitación de mi madre y escuchar. Pasaba las horas así, y algunas veces la llamaba. Ponía la cara contra la puerta y decía su nombre. Pero ella no le abría ni le contestaba, igual que a mí. A ella no le importaba nadie. Nos odiaba. Si vive todavía nos seguirá odiando. Él se iba mucho de viaje. Un día, cuando él no estaba, mi madre hizo la maleta y nos fuimos de allí. Vinimos a Madrid, a una casa con muchos cuartos y un pasillo muy largo. Era una pensión, por Argüelles. Cocinaba en un infiernillo de petróleo que tenía escondido en el armario y escribía a máquina, y casi nunca se peinaba ni salía a la calle. Bebía mucho. Una mañana, cuando me desperté, ya no estaba. Ni siquiera se llevó su máquina de escribir.

—¿No ha vuelto a verla?

—No quiero verla.

—Pero se peina y se maquilla para parecerse a ella.

—Yo nunca la conocí así.

—Habrá visto sus fotografías. Las que se hizo antes de que naciera usted. Me ha dicho que cuando se fue no se llevó nada.

—Qué se iba a llevar, si no tenía nada. Sólo el infiernillo en el armario y la máquina de escribir, y las botellas vacías. En la *boîte* no me dijeron que tuviera que parecerme a alguien. Un día el dueño vino y me dijo que iba a hacer de mí una verdadera estrella. Nada de canciones picantes ni de seguir sentándome con esos tipos de las mesas para que me invitaran a champán. Una mujer me rizó el pelo y me enseñó cómo tenía que peinarme y maquillarme, y trajo también esos vestidos. Aprendí las canciones que me ordenaron. El pianista llevaba discos antiguos y yo tenía que estar oyéndolos siempre. Hasta me pusieron ese apellido, Osorio.

—¿Rebeca es su nombre verdadero?

—Sí. Lo odio. Suena a falso. A cine.

—Es un nombre del cine.

Me miró sin entender, sentada en la cama, con la falda entre los muslos y la mano abierta sobre el pecho, para sujetar el vestido. La vi de pronto como un simulacro de otra mujer que no existió, que fue soñada y deseada por varios hombres, Walter y Andrade, Valdivia, yo mismo, y también por otros desconocidos que sólo supieron de ella por las páginas de las novelas alquiladas o que la espiaron mientras se desnudaba desde la sombra de la *boîte Tabú*. Las miradas y las manos y las respiraciones de los hombres habían gastado su piel pulimentando su blancura y volviendo todo su cuerpo tan dúctil como una seda muy usada, pero eso sólo lo pude aprender más tarde, cuando me atreví a tenderme junto a ella y rozar con mis manos la infinita y cálida pasividad de sus muslos, que se entreabrieron despacio, como pesados pétalos que se me deshicieran en los dedos. Había en ella una obediencia sonámbula a los designios de otros, y tal vez era eso, su ensimismamiento de mujer detenida en la penumbra de un cuadro, lo que estremecía a los hombres, pues les otorgaba al mismo tiempo la seguridad de poseerla y la sospecha de que ella nunca les pertenecería. La frialdad azul de sus ojos inmovilizaba el tiempo, desvaneciendo el porvenir y el pasado. Sin explicación ni esperanza yo seguía mirándola y el ruido distante de la ciudad tras las cortinas cerradas me traía el recuerdo de los minutos voraces que continuaban avanzando en el latido de cualquier reloj hacia la hora tan próxima de mi viaje. Veinte minutos más y me iré, calculaba, media hora, igual que Andrade, cuando estuviera esperándola con las manos impacientes y unidas bajo la pantalla azul de la lámpara, administrando el tiempo tan cuidadosamente como los cigarrillos y los sorbos de alcohol para que cuando ella apareciese en el escenario aún no estuviera vacía su copa y nadie pudiera discutirle su derecho a no dejar ni un solo segundo de mirarla. Andrade, el elegido, el adicto: alguna noche el comisario Ugarte debió de reconocer su cara y lo adivinó todo en ella, calculando, mientras fumaba en la oscuridad del palco, la trampa de su perdición.

—Y usted quién es —dijo la muchacha, pero no parecía que estuviera haciéndome una pregunta, ni que esperase la verdad—. De dónde ha venido.

—De muy lejos.

—¿Conocía a Andrade?

—Nunca lo he visto. Sólo sus fotografías.

Se incorporó lentamente hasta sentarse en el filo de la cama, apoyando los pies descalzos en el suelo, con las rodillas abiertas.

—Pero quería matarlo.

—Quién le ha dicho eso. Vine para ayudarle a escapar.

Se levantó, dejando que el vestido cayera suavemente a sus pies. Pensé que únicamente ahora la estaba viendo desnuda por primera vez. El talle frágil, las agudas caderas, la sombra leve en el vientre, como esfumada, igual que el rosa de los pezones sin relieve. Su figura se alzaba del suelo con la soberanía de una estatua.

—Él lo reconoció a usted —dijo—. Apagué la luz y volví a encenderla dos veces para avisarle de que usted ya estaba dormido. En cuanto vio su cara supo que había venido a matarlo. Ni el comisario Ugarte le daba tanto miedo como usted.

Pero parecía que ella estaba más allá del miedo, que cruzaba sus límites viniendo hacia mí, con temeridad y cautela, como si se acercara a una pistola o a un cuchillo, mirando con sus ojos fijos y azules un rostro que no era el mío, porque los espejos mienten y yo nunca podría verlo ni saber lo que ella miraba, lo que Andrade había visto.

—Usted no siente nada —dijo, parada a un paso de mí, casi empujándome, menos alta ahora, sin los tacones, más imperiosa y tibia—. No se mueve nunca, está muerto ahí de pie, nada más que mirando. No he visto a nadie más frío y más rígido, no tiene sangre, tiene la carne de cera y los ojos de cristal y piensa que está por encima de nosotros, que puede pagarme a mí y comprarme y matar a Andrade o perdonarle la vida.

Siguió hablando, pero yo no quería oírla, no era posible que esas palabras aludieran a mí, que la expresión de esa mirada reflejara mi rostro, proyectado sobre ella como una sombra que me precedía y que no era la de mi cuerpo. Dijo con descaro y orgullo que me había citado en la casa de Andrade para narcotizarme y que ella le hacía señas desde la ventana sin que yo me diera cuenta, que vertió el veneno en la botella y fingió que bebía usando astucias aprendidas en la *boîte Tabú* para derribar a los hombres de excitación y de alcohol, pero yo nunca me rendía, dijo, yo bebía un vaso tras otro y parecía inmune a la borrachera y al sueño, con los ojos muy abiertos, como si fueran de cristal, repitió, y cuando caí sobre ella pensó que al fin obedecía a un arrebato y que iba a besarla, pero no, no me moví, quedó atrapada por mi cuerpo, como aplastada por un fardo, y cuando intentó librarse de mí yo me derrumbé pesadamente hacia el suelo y la arrastré en mi caída. Para que no siguiera hablando la atraje contra mí y la besé en la boca. Quería huir de mis labios y su delgada cintura se me doblaba entre las manos, y al mover la cabeza en una rabiosa negativa su pelo me azotaba la cara. Retrocedía hincándome los huesos de las caderas en el vientre, y de pronto se desprendió de mí, inclinada y respirando como un luchador, el pelo sobre los ojos, desafiándome, repitiendo una palabra sucia, una invitación. Di un paso hacia ella y de una sola bofetada la derribé sobre la cama. Cayó de costado y se quedó tan inmóvil como si un golpe de mar la hubiera abatido contra los guijarros. Me tendí junto a ella, le limpié los labios, llamándola, repitiendo su nombre, queriendo imaginar que cuando le apartara el pelo vería la cara de la otra. Levanté su cabeza y abrió los ojos como si despertara, la sacudí y siguió mirándome y no se movió. Con una borrosa y vengativa premura retardada por mi propia torpeza, que me enredaba los dedos en la hebilla del cinturón y en los faldones de la camisa, la abrí y la obligué a agitarse en rápidas palpitaciones que contraían su boca con un gesto de dolor y hacían sonar secamente los muelles y el armazón de la cama. Pero poco a poco empecé a sentir que aquella blanda docilidad traspasada se conmovía con un impulso espasmódico, como de exaltación o de fiebre, y la vi echar el cuello atrás y volver de un lado a otro violentamente la cabeza, enajenada y sollozando igual que si se debatiera en la oscuridad contra los tentáculos de una pesadilla. Siguió agitándose cuando yo ya no me movía, fulminado y vencido por la lucidez de la vergüenza. Caí a su lado, de espaldas, oyéndola respirar. Sobre la mesa de noche estaba su reloj. Vi con incredulidad, con secreto y miserable alivio, que eran las cuatro menos veinte. Me quedé un rato sentado en la cama, con los codos sobre las rodillas, alisándome maquinalmente el pelo con la mano. No quería volverme hacia ella ni ver mi cara en los espejos. Pero cuando salí del cuarto de baño me encontraron sus ojos. Había doblado la almohada y apoyaba en ella la cabeza, pero aún tenía muy separadas las piernas y una mancha húmeda le brillaba en el vientre. Extendió una mano hacia la mesa de noche para buscar un cigarrillo. Se lo puso en los labios, pero no llegó a encenderlo. Sólo miraba hacia mí, sin verme, como si yo no estuviera en la habitación.

Salí al pasillo huyendo de esa mirada, del olor agrio y espeso que se enfriaba en el aire. Bajé al vestíbulo: le encargaría al recepcionista que me reservara por teléfono mi pasaje de avión. Pero no lo vi en el mostrador, y pensé que seguramente lo encontraría en el bar. Una cara que me pareció la suya estaba mirándome desde la barra, al otro lado del cristal, aislada y pálida en la escasa luz de la tarde nublada. Pero ese hombre no llevaba uniforme, y era calvo y más viejo que el recepcionista, y no se había afeitado en los últimos días, y al verme se apartó de la barra y echó a andar muy lentamente hacia atrás, con el mismo aire de desamparo que tenía en las fotos exagerado ahora por el asombro o el terror, tropezando en las mesas mientras buscaba la otra salida del bar, la silenciosa puerta giratoria que daba directamente a la calle.

13

Durante unos segundos había permanecido quieto frente a mí, mirándome con sus pequeños ojos enrojecidos como miraría una animal paralizado y suicida los faros de un automóvil, muy cerca, a unos pasos de distancia, retrocediendo con la misma lentitud con que yo iba haciá él, chocando en su retirada con las mesas del bar. Dije su nombre, Andrade, extendiendo la mano en un gesto de saludo inconsciente, como si no quisiera asustarlo, y él caminaba hacia atrás y seguía mirándome con incredulidad y cobardía, con el rencor de los celos, porque mientras esperaba en el bar a que ella apareciera sin duda había estado imaginando con minuciosa exasperación su entrega a un desconocido que ahora, para que se hiciera más exacta la injuria, adquiriría mis facciones, que eran también las de su perseguidor. En su cara devastada por tantas noches de insomnio y de huida yo vislumbraba, por encima del miedo, los estragos del amor, y comprendía que esa mañana, cuando se quedara solo en la estación o en los vestíbulos del aeropuerto, le habría faltado coraje para irse, y había vuelto a la ciudad sin que ella lo supiera, y tal vez la había seguido, rondando la casa donde ella esperaba que sonara el teléfono, arriesgando su vida para volver a verla desde lejos, para seguir el taxi que la llevaba al hotel donde un hombre pagaría por tener durante menos de una hora lo que sólo a él le estaba destinado. Había vuelto, renegando de su última posibilidad de sobrevivir, se había apostado tras los cristales del bar para verla de nuevo, cuando pasara hacia la calle con su vestido negro de tirantes cruzados y su chal sobre los hombros, prohibida ya para él, porque si no se iba de Madrid y continuaba a su lado le transmitiría su condena.

Y ahora veía en mí no sólo a uno de sus ejecutores posibles, sino también la encarnación odiosa de todos los hombres sin rostro que la miraban a ella y la poseían y se la arrebataban, usurpadores de su vida y de la belleza de su cuerpo, impostores venales que lo suplantaban en abrazos que sólo él merecía, desterrándolo del amor tan crudamente como la persecución lo desterraba de su patria. Sin que él me dijera una palabra yo lo entendía todo, era como si yo mismo estuviera huyendo mientras daba unos pasos hacia él, porque ese horror que veía en sus ojos muchas veces me lo habían mostrado en mi propia cara los espejos, y deseé que se detuviera, que no siguiera retrocediendo hasta la puerta giratoria, pero querer alcanzarlo era igual de imposible que pisar esa sombra que camina delante de nosotros, cercana y siempre alejándose, como Andrade, que ni siquiera corría, que salió a la calle de Atocha y pareció que me esperaba, con la cabeza vuelta hacia mí sobre sus hombros inclinados, con las manos en los bolsillos de la chaqueta, como esos hombres que buscaban los respiraderos del Metro para defenderse del frío.

Pensé: «pero esto ya me ha sucedido», como cuando en mitad de un sueño advertimos que se repiten los detalles de otro, como cuando una suma de azares nos aproxima a la intuición de un recuerdo que no llega a precisarse. Las calles anchas y grises de Madrid, la tarde fría, tempranamente oscurecida, un hombre que caminaba delante de mí y sabía que yo lo estaba siguiendo, no Andrade, sino Walter, el fugitivo de tantos años atrás, el muerto sin rostro ni nombre al que abandoné junto al muro de una fábrica en los arrabales de una ciudad del sur. Pero los muertos vuelven, vuelven con más tenacidad que los vivos, obstinados y leales como aquellas ánimas del purgatorio a las que les rezaban oraciones al atardecer, los muertos vuelven y enmascaran sus sombras con las facciones de los vivos y caminan despacio por los lugares del pasado, como recién llegados a la ciudad después de una larga ausencia, fingiendo que miran los escaparates y que se asombran porque ahora circulan más automóviles que entonces, deteniéndose con cautela antes de cruzar al otro lado de la calle. Andrade cruzó y se volvió para mirarme desde la otra acera, como si temiera perderme, y echó a andar calle arriba por la cuesta de Atocha, mirando furtivamente en torno suyo, porque a veces bajaban desde Antón Martín furgones de policía con las alarmas encendidas, furgones grises con celosías de alambre como aquel del que pudo escaparse una noche en la Puerta del Sol: yo me sentía como si habitara en el interior de su conciencia, y ahora que lo veía por fin, después de haberlo imaginado tanto, su desesperación era una parte de mi propia vida, y mi piedad hacia él era la que nunca me había atrevido a dedicarme a mí mismo, y le rogaba en silencio que se detuviera, le agradecía que no echara a correr, porque así evitaba que los policías notaran su presencia. Subíamos los dos muy cerca de los portales oscuros y de las tabernas de donde salía un humo caliente y denso de frituras, pasando entre gentes desconocidas que nunca repararían en nosotros, aliados por la misma lentitud y la misma extrañeza, y cuando se volvía hacia mí y me miraba yo creía que le estaba hablando y que escuchaba mis palabras, porque nadie más que él en toda la desolación de la ciudad podía oírlas y entenderlas. Sé quién eres, pensaba, sé lo que has visto y lo que has perdido, tu vida y tu país, tu biografía inmolada en nombre de una estéril heroicidad que nadie te agradecerá nunca, tu deseo y todos los espejismos que su consumación exaltó, y no me importa si te has vendido porque lo que pagaste es mucho más valioso que todo lo que imaginaste que recibirías y nadie te dará. Iba tras él, y me quedaba inmóvil cuando él se paraba, extrañamente interesado en el escaparate de una tienda de bicicletas, solo y vencido por el frío, cabizbajo, mirándome desde la inmediata lejanía de la soledad. De pronto giró a la izquierda y desapareció. Cuando fui tras él me sorprendió darme cuenta de que estaba en el pasaje Doré. Andrade me miraba desde la otra esquina, junto al mostrador de una carnicería donde ya estaban encendidas las luces. Olía a pescado y a vísceras, y mis pies resbalaban sobre la materia húmeda del suelo. Mientras mi voluntad seguía a Andrade mi memoria inconsciente iba reconociendo aquellos lugares, el cine, las carnicerías, los recónditos almacenes de ultramarinos, el empedrado de las calles: Madrid se convertía en una ciudad de provincias abandonada y melancólica, y yo leía en las esquinas nombres olvidados que aludían a otra vida, al fervoroso desorden de la adolescencia y de la guerra.

Calle de Santa Isabel, leí, calle de Buenavista, y entre las dos hileras de las casas la ciudad descendía súbitamente hacia el horizonte nublado y rojo del atardecer, y ahora Andrade bajaba por la calle empinada con un paso mucho más rápido, con la cabeza como abatida entre los hombros, casi corriendo, volviéndose, como si me indicara un camino. Yo pensaba en el aeropuerto y en la habitación de mi hotel como en dos mundos desertados a los que no pertenecía. Era preciso que lo alcanzara y que hablara con él, aunque no sabía qué iba a decirle ni había oído su voz, pero lo conocía más que a mí mismo, más que a todos los hombres que había ejecutado o salvado desde el principio de la guerra. Sentía que él y yo estábamos solos en Madrid y que ni siquiera la muchacha que tal vez yacía con los ojos perdidos en la cama de mi habitación podría reconocerlo con la misma intensidad que yo, su verdugo o su cómplice. Estaba dispuesto a ayudarle a huir o a que regresara con ella, eso quería, salvarlos, del comisario Ugarte y de los que me habían enviado para acabar con él, salvarlos hasta de su misma predisposición para la desgracia. Ahora me daba cuenta de que eran infinitamente más débiles que su amor y de que se habían separado aquella mañana porque les daba miedo seguir juntos y estar vivos. Creo que lo llamé, que grité su nombre y que se detuvo ante las escaleras de una estación del Metro, y entonces, en vez de bajar hacia los túneles, giró a la derecha y se perdió tras la esquina de un cine, y yo eché a correr como si ahora sí pudiera perderlo, corrí pisando las breves guirnaldas blancas de las acacias y ya no lo veía en ninguna parte, ni al fondo de la calle ni en los portales de las tiendas de ultramarinos angostas como nichos, y ya sólo pude verlo menos de un instante, cuando desapareció al otro lado de una puerta en la que había una ambulancia.

Me detuve a la entrada de un jardín que parecía una selva. Los matorrales y los árboles crecían entre los escombros ascendiendo sobre un muro gris de ventanas alineadas, con los cristales rotos. Yo avanzaba guiándome por el rumor que me precedía en la maleza. En torno a mí se desataba un escándalo de pájaros. Sobre mi cabeza el cielo gris era un rectángulo tan preciso como el brocal de un pozo. Me pareció que alguien se movía de una ventana a otra por los corredores más altos: desde arriba podría ver cómo Andrade y yo nos buscábamos en la espesura, igual que animales que adivinan su mutua presencia en la oscuridad de la noche. Entonces recordé: ¿era de verdad una ambulancia el automóvil que estaba aparcado junto a la puerta de aquel vasto edificio vacío? Temí por Andrade más que por mí mismo. Un hombre de bata blanca me había mirado cuando entré en el jardín. En alguna otra parte yo había visto su cara. Llevaba una bata blanca y aquel lugar era un hospital, pero estaba abandonado desde hacía mucho tiempo. Me desesperaba la lentitud de mis actos y de mi pensamiento. Dónde vi antes esa cara, cuándo. Vuelta hacia mí en el interior de un automóvil, diciéndome algo, ofreciéndome un cigarrillo, de noche, pero no ayer, en Madrid, no en la *boîte Tabú* ni en la estación de Atocha, en otro lugar donde también olía a tierra y hojas de árboles mojadas. Casi en el filo de un recuerdo me venció el olvido: Andrade estaba al otro lado del jardín, apoyado en un quicio de piedra, buscándome con la mirada. Fui hacia él y de nuevo vi una sombra que se deslizaba entre las ventanas del primer piso. Andrade se volcó hacia un lado como si fuera a caerse y dio unos pasos hacia la perspectiva de arcadas y ventanales de un pasillo en el que su estatura disminuía al alejarse. Yo escuchaba los ecos multiplicados y fríos de mis pasos que se confundían con los suyos, y su respiración ahogada se volvía más indudable cuando me aproximaba a las esquinas por donde él se había esfumado unos segundos antes de que yo las alcanzara. En la mitad de una sala en la que había altas pilas de somieres pintados de blanco y globos de luz despedazados en el suelo ya no seguí oyéndolo y el silencio me inmovilizó. Otros pasos sonaron: a mi espalda, y también encima de mi cabeza, y no eran los de Andrade. Anduve un rato despacio y conteniendo la respiración. Al fondo de cada sala había un pasillo con arcadas de granito desnudo que confluían en la perspectiva de otras salas remotas. Andrade era una sombra a los lejos, una mancha ligeramente más oscura que la penumbra, cobijada en un rincón, igual que un bulto negro de ropa. A ese hombre de la bata blanca yo lo había visto en Florencia: era el taxista que me llevó al aeropuerto. Me apresuré para llegar a donde estaba Andrade, pero parecía que siempre nos separaba la misma distancia, aunque él ya no se movía, replegado sobre sí mismo en el suelo, contra la pared, abrazándose las rodillas con las manos, como si lo hubiera paralizado el frío, como un preso que se recluye en un rincón

179

de su celda. Ya distinguía otra vez su cara, su cabeza calva abatida entre las rodillas. Estaba exhausto y enfermo y tal vez desistía de vivir y de seguir huyendo. Cuando oyó romperse unos cristales bajo mis pisadas alzó la cara y me miró con ese definitivo abatimiento de la vida que yo había visto en otros hombres durante las retiradas de la guerra, en los barrizales de los campos de concentración, hombres que se sentaban inmóviles y se quedaban mirando el vacío y no comían ni hablaban porque la única tarea de su voluntad aniquilada era esperar la muerte.

«Andrade», dije, «levántese, le ayudaré a escapar». Pero me miró como si no comprendiera mis palabras, y yo di unos pasos más, muy despacio, y entonces empezó a levantarse arrastrando la espalda contra la pared, con la boca abierta, con la cara progresivamente desfigurada por el terror de estar viéndome tan cerca. Yo caminaba hacia él con las manos separadas y abiertas, para mostrarle que no estaba armado, pero él las miraba como adivinando en ellas la posibilidad del estrangulamiento. Yo conocía esos ojos inyectados en sangre, esa manera de negar en silencio moviendo la cabeza, yo había visto exactamente ese mismo terror en la cara de otro hombre que huía de mí, pero aquella vez yo empuñaba una pistola y me disponía a matarlo, y ahora sólo quería acercarme para decirle algo y escuchar su voz desconocida. Era igual, sin embargo, era como si llevara en mi mano derecha una pistola invisible y letal, y mis gestos y los suyos eran los mismos de entonces, cuando Walter corría doblándose sobre el vientre para contener la hemorragia del primer disparo y yo iba tras él y lo veía detenerse junto a la pared encalada de una fábrica. Adelanté una mano hacia Andrade y oí un ruido a mi espalda y tardé un instante en saber que ya no era a mí a quien estaba mirando. Andrade corría, sonó un disparo y me pareció que saltaba contra la pared con los brazos abiertos.

La detonación retumbó como el trueno de una tempestad bajo las bóvedas de un mar subterráneo, dilatándose sucesivamente hacia lo más hondo de las estancias vacías. No fue un disparo de pistola, sino de un arma más potente y más cruel que fulminó a Andrade igual que un rayo. Aturdido, temblando, con los tímpanos como atravesados por un dolor de agujas, todavía no me acerqué a él. Oía el gorgoteo último de su respiración y lo veía removerse en lentas convulsiones sobre las losas donde estaba creciendo la mancha plana de su sangre. «No he sido yo», pensaba, «yo no le he disparado», y me miraba las manos febriles como las de un alcohólico y ni siquiera me volvía para descubrir quién lo había matado, quién podría disparar ahora sobre mí.

«Capitán», dijo una voz a mi espalda.

No quería mirarlo. Me tocó el hombro y yo seguí viendo la agonía de Andrade, que se arañaba con las dos manos la desgarradura del vientre. Me arrodillé junto a él, y el otro me siguió, llamándome, diciéndome otra vez capitán. Vi de soslayo sus botas sucias de barro y no quise volverme. Andrade me miraba con sus ojos escarchados por la cercanía de la muerte, y movía la cabeza y se palpaba las ingles espesamente enlodadas de sangre, y cuando curvó los labios para decir una palabra brotó de ellos un coágulo negro que se derramó como un vómito sobre su barbilla. Me quité la gabardina y se la puse doblada bajo la nuca, hablándole, pero ya no me oía, levantando con mis dos manos su cara áspera y helada, la misma cara de las fotografías, la que me había mirado tras una mampara de vidrio en el hotel Nacional, la cara de un hombre sordamente predestinado a morir. Cuando ya no se movió un hilo de saliva y de sangre quedó colgado de su boca.

«Capitán», dijo Luque, y al ponerme en pie vi que me sonreía, exaltado, nervioso, casi feliz, sosteniendo una escopeta de caza. «Hemos venido a ayudarle», decía, como embriagado por el hedor tibio de la pólvora, por la sorpresa de haber descubierto lo fácil que puede ser matar a un hombre. El otro, el de la bata blanca, nos observaba desde el quicio de una puerta arrancada, con un cigarrillo en la mano, sin decidirse a encenderlo, como si le diera reparo fumar en presencia de un muerto.

—Bernal nos envió —dijo Luque, con timidez, con cierta arrogancia—. Por si necesitaba ayuda.

Le brillaban los ojos, tenía un leve temblor en los labios, pero yo noté que su docilidad era mentira, que había averiguado al fin que yo no era invulnerable y que no merecía el entusiasmo de su imaginación. Ahora me miraba con un poco de condescendencia, y cuando me puse en pie me había ofrecido su mano como si sospechara que yo no podía levantarme solo.

—De modo que ya no se fían de mí —le dije.

—Capitán —Luque sonreía, aún le temblaban los labios—. Vinimos para que usted no estuviera solo. El tiempo pasa, capitán, usted mismo me lo dijo. Lo que importa es que hemos terminado nuestra misión. Ahora podemos irnos.

Anoté el plural: Luque ya se contaba a sí mismo

en el número de los héroes. Lo cogí de las solapas del anorak y se las dejé manchadas con la sangre de Andrade, y lo miré muy fijamente, queriendo aniquilar ese brillo de sus ojos, el orgullo, el reconocimiento, su adhesión atroz de discípulo y de imitador de algo que veía en mí y que yo no podía haberle enseñado, ni a él ni a nadie. Acerqué su cara a la mía y me vi en sus pupilas, y cuando lo solté siguió mirándome con el alivio del miedo atemperado por la compasión.

—Tenemos que irnos, capitán —dijo, limpiándose las solapas con un pañuelo que tiró luego a sus pies—. Vuelva a Inglaterra. Descanse durante una temporada.

Le di la espalda. Me arrodillé junto a Andrade y le cerré los ojos. Muerto tenía la misma suave expresión de melancolía y desamparo que cuando le tomaron aquella foto a la orilla del mar. Cuando me levanté, anquilosado por el frío del pavimento de piedra, Luque y el hombre de la bata blanca ya se habían marchado y en los ventanales de los corredores estaba anocheciendo.

14

Caminaba por Madrid como si también se extinguiera lentamente mi vida en un prematuro anochecer, sin gabardina, sin sombrero, con las manos en los bolsillos donde sonaban unas pocas monedas, recorriendo una larga calle con acacias sin preguntarme dónde desembocaría, perdido entre los vivos, entre las mujeres de vestidos cortos y brillantes que salían de los bares riéndose a carcajadas, entre hombres que caminaban hacia un destino cierto en la noche, no como yo, que ya vivía entre los muertos, que recordaba otra ciudad y otras gentes ya exterminadas por el tiempo y que me alejaba con inútil premura del lugar donde yacía el cadáver de Andrade sintiendo que por más que intentara perderme ese cuerpo tirado contra una pared viajaría conmigo más lealmente que mi sombra y seguiría mirándome con sus pupilas de vidrio y hablándome con una voz inaudible que estremecía sus labios, separados y mudos, como los de Walter, como los de una imagen del cine despojada de sonido. Y caminaba por los lugares más extraños de Madrid y todos los muertos del pasado me seguían, los muertos y los aparecidos, Rebeca Osorio, Valdivia, la muchacha que también se llamaba Rebeca y que ahora habría comenzado a esperar una carta o una llamada de teléfono que no iban a llegar, porque Andrade, su amante, que había acatado para entregarse a ella el simultáneo desastre de la traición y del amor, estaba muerto en una esquina de los corredores de un hospital abandonado y nadie más que yo podría ir a decírselo.

Pero esa vaga intención no era sino un pretexto para justificar mis pasos de aquella noche, la necesidad de buscarla y de saber gracias a ella lo que todavía ignoraba, lo que a nadie más que a mí le importaba saber. Mi inteligencia se rebelaba contra las vanas duplicaciones del azar, pues no era posible que todo lo que yo había vivido estuviera repitiéndose, con alteraciones secundarias que agravaban la irrealidad de mi viaje, Walter y Andrade, sus dos muertes iguales, separadas tan sólo por mi incredulidad y mi estupor, las dos mujeres que parecían la misma y que ocultamente lo eran, las estrategias sombrías de la traición y del crimen. Salí a una plaza muy grande donde baterías de reflectores levantadas sobre andamios metálicos iluminaban las obras de un paso elevado, y entonces la duplicación del tiempo cobró una certidumbre de viaje circular, porque eran las seis y media de la tarde y yo me encontraba enfrente de la estación de Atocha, igual que el día anterior, cuando acababa de recoger la pistola y me disponía a visitar el almacén donde me dijeron que Andrade estaba esperándome. Crucé la calle debajo de los andamios y de los pilares de hormigón que terminaban en retorcidos tallos de acero y me dejé llevar entre la multitud que se dirigía hacia los andenes, hombres con maletas y abrigos que consultaban relojes, vagabundos tranquilos que buscaban cosas en los montones de basura, gente extraña, habitantes futuros de la misma ciudad por la que yo había transitado en mi juventud y que ya no reconocía. Ayer estuve aquí, pensaba, y también hace veinte años, cuando compré una novela barata en uno de esos puestos donde siguen vendiendo libros muy parecidos a los de Rebeca Osorio y periódicos que aluden a la vida diaria de un país que ya me es ajeno. Me acordaba de aquel viaje y me costaba entender que tampoco yo era el mismo, porque ahora tenía el pelo gris y me pesaban las piernas como si caminara sobre lodo. Vi de lejos el vestíbulo y las ventanas iluminadas del hotel Nacional y me dio vergüenza ir allí y preguntarle al recepcionista si la muchacha se había ido, y en un arrebato de involuntaria convicción paré un taxi y le pedí al conductor que me llevara a la *boîte Tabú*, buscando con disimulo en mis bolsillos para saber si reuniría las monedas necesarias.

Vi la calle de Atocha, la esquina por donde Andrade cruzó al otro lado y se quedó esperándome, como si deseara que su muerte no sucediera sin testigos, vi el neón verde pálido de los letreros de las tiendas y el resplandor hiriente de las carnicerías del pasaje Doré, y cuando llegamos a los altos de Antón Martín se extendió ante mis ojos la luz violeta y rojiza de un crepúsculo como del fin del mundo hacia el que parecían dirigirse los tranvías y los automóviles con una velocidad de suicidio.

En la Puerta del Sol, cuando pasábamos junto al edificio de la Dirección General de Seguridad, miré las ventanas enrejadas de las celdas y los furgones grises que se alineaban con los faros apagados en una calle lateral y me acordé de la huida de Andrade y de los hombres que ahora mismo esperarían en la oscuridad la inminencia temible de los interrogatorios. Allí, en lo más hondo de aquellos respiraderos protegidos por la tela metálica, los presos calculaban el paso del tiempo oyendo la intermitencia de los tranvías que se paraban en la acera, y en una cualquiera de aquellas ventanas iluminadas de los pisos superiores el comisario Ugarte fumaba mirando la calle desde el otro lado de los visillos, con el mismo aire de acecho y lenta cacería con que espiaba a la doble de Rebeca Osorio tras la cortina roja y entornada del único palco de la *boîte Tabú*. Pensé que él sabía que Andrade estaba muerto y que podía distinguir entre los automóviles que pasaban por la Puerta del Sol el taxi en el que yo iba. Él lo sabe todo y lo ve todo, me había dicho la muchacha, con la inquietud de quien se sospecha siempre vigilado por presencias invisibles, y yo sentí una intolerable necesidad de mirar cara a cara a ese hombre, a plena luz, bajo la misma claridad azul de los focos que la alumbraban a ella cuando se quedaba desnuda, y me imaginé que él había calculado de antemano el encuentro y que lo postergaba para cuando ya me hubiera atrapado sin remedio, porque era un cazador tranquilo, me había dicho Bernal, y amaba la música y no permitía que nadie viera abiertamente su cara. Ésa era una de las preguntas que yo quise hacerle a Andrade y que él no pudo responderme, cómo miraban los ojos del comisario Ugarte, por qué siempre se escondía en la sombra, y entonces me acordé del nombre elegido por Walter para encubrir su vida de traición y me sorprendió y me dio miedo no haber advertido hasta ese momento que parecía inventado para el comisario Ugarte, Beltenebros, el príncipe de las tinieblas, el que habita y mira en la oscuridad, sin más luz que la de los cigarrillos que resplandecen como ojos.

Y sin embargo desde que llegué a Madrid habíamos estado muy cerca, a la distancia de una mano extendida, en el almacén, cuando alumbró con su linterna la cortina tras la que yo me escondía, en la *boîte Tabú*, y sobre todo en el piso de Andrade, porque ahora estaba seguro de que él me había mirado mientras dormía y de que era él esa alta figura sin facciones contra la que había combatido hasta la extenuación en medio de los lodazales del sueño. La disciplina del razonamiento conducía directamente a la locura: si el comisario me había seguido hasta aquella casa la huida de Andrade no era más que una ficción controlada desde el principio por la policía. Fue Ugarte, sin duda, quien me quitó la pistola, pero entonces también pudo haberme detenido y no lo hizo, y me dejó el pasaporte y la llave de la consigna, como si me invitara a marcharme de Madrid y a no seguir averiguando y buscando.

El taxi había cruzado la Gran Vía y se internaba ahora en una calle que me pareció la de Valverde. Decidí que cuando encontrara a la muchacha no le contaría la muerte de Andrade: que siguiera esperándolo durante algún tiempo, hasta que el olvido la cansara, si es que a la mañana siguiente no veía en una pequeña foto de un periódico su rostro de cadáver sin nombre, si el comisario Ugarte, con serena crueldad, no se lo decía esta misma noche, cuando terminara el espectáculo y ella se dispusiera a salir al callejón acordándose automáticamente de todas las veces que vio a Andrade esperarla, obstinada, a pesar de sí misma, en seguir deseando que apareciera él, que estaba muerto, boca arriba, con los ojos cerrados, tirado con un coágulo negro en el vientre en medio de la oscuridad helada y desierta de aquel hospital donde era posible que tardaran mucho en encontrarlo. Sentí que saber que estaba allí y que tal vez amanecería rígido y solo en la misma postura en que lo paralizó la muerte era una última profanación que también a mí me envilecía. Le pedí al taxista que fuera más de prisa, como si la distancia me pudiera salvar del acuciante recuerdo. Igual que quien no puede dormir y oye rumores de amenaza y aprieta los párpados hundiéndose debajo de las sábanas, yo cerraba los ojos porque me daban vértigo las rápidas luces de las calles, y cuando pensé que ya deberíamos de estar llegando a la *boîte* y volví a abrirlos noté una conmoción de dolor y de reconocimiento en la memoria que al principio fue tan débil como ese tintineo de una cucharilla en el cristal de un vaso provocado por la onda expansiva de un terremoto muy lejano. No recordaba haber visto antes esa plaza pero la conocía, identificaba la línea de los tejados interrumpida por la cúpula de una iglesia, el perfil negro de ese edificio de la esquina, alto y adelantado como la proa de un buque, con su lisa fachada de mármol y la oquedad del vestíbulo bajo la marquesina donde ya no estaba iluminado el letrero del Universal Cinema.

Uno cree que los lugares y los rostros dejan de existir cuando no los recuerda. A medida que la forma exacta del cine donde conocí a Rebeca Osorio y a Walter se precisaba ante mis ojos —en fracciones de segundo, porque el taxi no se había detenido—, era como si el edificio entero volviera a erguirse desde los escombros, emergiendo a la noche y a la realidad del presente igual que un barco levantado de las profundidades del mar por poderosas grúas y cables de acero. Le ordené al taxista que me dejara allí mismo: las manos se me enredaban en los pliegues de los bolsillos cuando buscaba las monedas. Se las entregué sin contarlas, por miedo a que si dejaba de mirar por la ventanilla el edificio se desvaneciera. El taxista me dijo algo y no le contesté. Estaba acercándome al Universal Cinema como en una solitaria escenificación del pasado, pero ahora no llevaba en la mano una novela barata recién adquirida en la estación ni tenía el secreto propósito de ejecutar a nadie: un hombre había muerto a unos pasos de mí, había sonado un disparo mientras yo alzaba en el aire una mano vacía, como si la pistola que yo no quise manejar hubiera venido ocultamente conmigo, y ahora, para que todo fuera consumado, el tiempo retrocedía como una película proyectada al revés y yo volvía a asistir al preludio de la muerte de Walter.

Pero ya no había luces en el cine, y la puerta de entrada y las ventanas redondas de la taquilla estaban cegadas por ladrillos y yeso, y delante de esa pared había una reja plegable asegurada con un candado y varias vueltas de cadena. Desde lejos, el edificio parecía intacto: un cine temerario de los años treinta, con una arrogancia de navío o de faro, plantado como una reluciente escultura de basalto negro en una esquina de Madrid. Pero toda la parte inferior de la fachada estaba cubierta por varias capas sucesivas de carteles desgarrados y descoloridos por el sol y la lluvia, y más de cerca se veían largas grietas en la superficie lisa. Algunas placas de mármol habían sido arrancadas, y de la marquesina sólo quedaba el armazón de hierro. Yo daba vueltas de un extremo a otro del muro como buscando un resquicio que me permitiera entrar, probaba con las dos manos la resistencia del candado y de la reja metálica y tanteaba las frías molduras de mármol y la aspereza de las hiladas de ladrillos como si pudiera descubrir bajo las yemas de mis dedos uno de esos resortes que abren mágicamente una puerta inesperada. Era inútil, desde luego, y me alejé por la acera con una intranquila sensación de extravío: por qué me había bajado del taxi en aquel lugar, si ahora ignoraba el camino hacia la *boîte Tabú*. Doblé en la primera esquina, como quien quiere circundar todo el muro de una fortaleza, imaginando que si avanzaba siempre por la acera de la izquierda acabaría regresando a la entrada del Universal Cinema, pero me daba cuenta de que mis pasos ya estaban alejándome de él. Continuaría un poco más, era indudable que muy pronto encontraría una bocacalle que me devolviera al punto de partida. Un hombre andaba a pequeñas cojetadas por delante de mí. Cuando pasó junto a la cristalera iluminada de una peluquería supe quién era y también a qué lugar de Madrid me había devuelto el azar de los taxis y de las apariciones. El hombre andaba con la espalda torcida, como si llevara un gran peso sobre uno de los hombros.

El nombre de la peluquería, inscrito en un rótulo de azulejos, era Salón Montecarlo. En cuanto diera unos pasos más yo llegaría a la puerta de la *boîte Tabú*. Las geografías de mi memoria y los itinerarios fantasmales del tiempo quedaron trastornados como después de un instantáneo y silencioso desplazamiento de las formas del mundo. La *boîte Tabú* y el Universal Cinema, el pasado irreal y el indescifrable presente, no ocupaban las latitudes extremas que les atribuía mi imaginación. Había tardado la mitad de mi vida en llegar de un lugar a otro, pero sólo los separaba la breve distancia de una calle.

Vi que el hombre de la espalda torcida entraba en una taberna. Irreflexivamente lo seguí, pero no estaba en la barra ni era ninguno de los cuatro o cinco bebedores solitarios que ocupaban las mesas mirando desganadamente un partido de fútbol en el televisor. Desde la barra, tras un cristal con minuciosos dibujos de bocadillos y platos de calamares humeantes, se veía la persiana metálica y el letrero apagado de la *boîte Tabú*. Era uno de esos bares inhóspitos a los que uno se resigna como a la sala de espera de un médico sin porvenir. Olía a urinario y a frituras, a madera empapada de vino agrio y a humo de tabaco. Me acordé con imprecisa nostalgia de los bares íntimos de Inglaterra, de esa taberna, en Brighton, donde yo me recluía cuando cerraba la tienda, en las tardes de invierno, de su ventana tan pequeña como la de la cámara de un buque desde la que miraba la línea verde oscura del mar. Pensé que aunque volviera, si podía volver, este viaje a Madrid ya sería irreparable. Sobre la barra, a mi lado, había una copa de coñac. Pedí otra y esperé. El crudo alcohol me dio náuseas. La puerta del retrete se abrió y apareció en ella el hombre de la espalda torcida, limpiándose con un pañuelo la boca, grande y roja como una desgarradura en la piel. Al reconocerme sonrió. Vestía un traje de elegancia excesiva, con un picudo pañuelo azul en el bolsillo superior de la chaqueta y un chaleco ceñido como un corsé a su pecho abombado. Subió con dificultad a un taburete junto al mío y antes de beber levantó indecisamente su copa, como si me propusiera un brindis. La bebió de un trago, con la nuca torcida sobre los hombros, porque casi no tenía cuello. Con la prontitud de un hábito el camarero se la volvió a llenar, y él la abarcó entre sus dedos pequeños, examinándola como un objeto valioso, con un aire de suficiencia y hasta de soberanía, complaciéndose en que yo notara que no siempre era el sirviente viscoso de la noche anterior.

—Así que ha vuelto —me dijo: tampoco hablaba igual—. Todos vuelven. ¿No encontró a la chica? Sé lo que le pasa. Se arrepintió de no haber tomado el teléfono que yo quise darle y ahora vuelve para verla otra vez, pero todavía no se atreve a pedírmelo. Se impacienta, viene mucho antes de la hora de abrir. Hace como los otros. Entra aquí y se sienta cerca de la calle, por si la ve aparecer. ¿Sabe a quién me recuerda? A uno que venía antes y la esperaba todas las noches en el callejón y no le hablaba. Pero hoy es inútil que se quede. Se lo digo en contra de mi propio interés. Nada de copas mientras espera que salga a cantar. Beben mucho mientras la miran, porque beber los tranquiliza, buena caja todas las noches. Pero esta noche ella no vendrá. Hay otras, pero a usted no le gustan. A casi nadie. Les recuerdan a sus mujeres, con esos peinados y esos vestidos brillantes. Matrimonios amigos que salen a bailar un sábado por la noche. Les repugna. Sus mujeres fumando y emborrachándose a la segunda copa de champán, porque no tienen costumbre y dicen que se marean en seguida. Lo que les gusta de ella es que parece que no existe. Les da asco la realidad, pero no lo saben. Así que no saben por qué vienen aquí. Yo sí lo sé. Les vendo lo que ellos mismos han soñado. Excelente margen comercial. Dinero a cambio de sueños. Luego enciendo las luces y pagan y se van como perros. Pero usted es un señor. Buen zapato, buen traje de paño, no esas fibras que anuncian ahora. ¿Dónde dejó su gabardina?

Yo oía a aquel hombre como si estuviera soñando sus palabras y su cara. Reía sonoramente, con una verticalidad de borracho impasible, enhiesto sobre el taburete, balanceando sus cortas piernas en el aire. Se pasaba la mano por la barbilla con una unción como de confesor blasfemo. Estaba ahíto de coñac y de palabras sin orden que le brotaban de la carnosa raja de los labios como una baba incesante. Exultaba orgullo de sí mismo, de su potestad de conocer y corromper los sueños de otros, de sus zapatos de ante y su traje a medida que no lograba ocultar la extraña torsión de su cuerpo, de su cabeza agazapada entre los hombros. Al beber proclamaba con movedizos gestos su avaricia de coñac y el gusto de seguir bebiéndolo sin que la embriaguez lo derribara. Estudiaba mi presencia y mi ropa con parpadeos rapaces, como calculando velozmente su precio o la posibilidad de un expolio. Mientras hablaba los músculos de su cara se movían como el hocico de una rata.

«Quiere emborracharme», pensé, «quiere enredarme en palabras para que no vea algo». Miré hacia la calle: sólo vi la cortina metálica a la luz declinante de las farolas recién encendidas.

—Sigue mirando —dijo—. No me cree. Quieren comprar a las mujeres y se imaginan sus apariciones.

Pero ella no vendrá. Puede que ya no venga nunca. La ven desnuda y se apaga la luz y ya no la ven cuando vuelve a encenderse. Pura magia. Nadie la ve de verdad. ¿Piensa que voy por ahí diciéndole a cualquiera ese teléfono que le di anoche? Pero puede que hoy no se lo repita.

Más débil que el estrépito del televisor me llegó el sonido de un automóvil que se detenía en la calle. Tras los dibujos del cristal vi a la muchacha, que bajó del asiento posterior y caminó hacia el portal contiguo a la entrada de la *boîte*, con gafas oscuras, conducida por otra mujer, como una ciega.

—Usted cree que la ha visto —dijo el hombre de la espalda torcida, más serio ahora, como si prolongara contra su voluntad una broma sin éxito—. Pero está equivocado. Cierre los ojos y vuelva a abrirlos y ya no la verá. No le conviene.

Bajó del taburete con una brusca agilidad de simio, dejando unos billetes gastados junto a su copa vacía. Iba a salir, pero le cerré el paso. Para mirarme a los ojos torcía dolorosamente la cabeza sin cuello.

—¿La está esperando el comisario Ugarte? —dije. A mi espalda un hombre se levantó de una mesa arrastrando los pies.

—Termine su coñac —dijo el de la espalda torcida, apartándome—. Termínelo y váyase. A usted también lo están esperando. En Inglaterra. ¿No hay avión esta noche?

Anduvo cojeando hacia la salida y yo no se lo impedí. Cuando quise moverme una dura mano me retuvo y una cosa punzante se me hincó entre las costillas, muy cuidadosamente, sin herirme la piel. El clamor del partido de fútbol crecía como la riada de una multitud.

—Capitán Darman —dijo el hombre de la espalda torcida, sonriéndome desde la puerta del bar—. ¿No se acuerda de mí? Yo trabajaba ahí al lado, en el Universal Cinema. Vendía las entradas.

15

Tres o cuatro hombres se habían levantado de las mesas con pesado andar de borrachos y me miraban vigilándome, ajenos al escándalo del partido de fútbol, lentos, como dormidos, con caras sin afeitar y viejas chaquetas oscuras, iguales entre sí, como cofrades de una secta de muertos parcialmente revividos, de muertos tristes que vuelven a andar con desengaño por el mundo. El barman sumergía vasos en un fregadero de cinc y miraba hacia el televisor, aunque tampoco parecía que el fútbol le importara mucho, miraba como cumpliendo su parte en una representación donde también a mí me correspondía un papel que ignoraba, el de rehén o víctima de un vago sacrificio que sería ejecutado por aquellos hombres, por el que me había doblado dolorosamente el antebrazo en la espalda y me clavaba en las costillas la punta de un destornillador. El hombre de la espalda torcida había dado unos golpes en la cortina metálica de la *boîte Tabú*. Me miró mientras esperaba que se abriera, complaciéndose en mi estupor, en la extrañeza de haber quedado atrapado en aquella taberna entre esos hombres que olían a ropa vieja y a vino y que me custodiaban para evitar que pudiera seguirlo. La estrecha puerta se abrió y antes de desaparecer en la oscuridad vi que levantaba la mano como diciéndome un adiós para siempre, y yo hice un ligero ademán de moverme y el destornillador se hundió con experta crueldad en mi piel. Los otros me contemplaban como si tuvieran ante sí a un prisionero venido de un país muy lejano y sintieran curiosidad por oír cómo hablaba y por tocar su ropa. Volví la cara y vi los ojos del que me sujetaba, oliendo con asco su aliento de tabaco negro y de vino, conté en silencio hasta diez, queriendo que notara la relajación de mi cuerpo, sintiéndome excitado por la inminencia de la acción, igual que cuando era joven. Lancé hacia atrás la mano que tenía libre y en un gesto instantáneo le hundí las uñas en los ojos. Habían pasado más de veinte años desde la última vez que hice eso, tal vez en la sala de espera de una estación en Alemania, pero mis dedos acertaron exactamente en las dos cuencas y cuando los retiré estaban manchados de sangre y el hombre que empuñaba el destornillador chilló y me soltó la mano y cayó al suelo cuando le di una patada en las ingles. Cogí el destornillador y lo esgrimí ante los otros. Desde la barra el camarero había subido el volumen del televisor, que ahora emitía la música de un anuncio. Me miraban como inmovilizados por el espanto de una superstición, sin atender al herido, que se retorcía en el suelo tapándose los ojos con las dos manos. Se movían en círculo a mi alrededor, con la cobardía huraña de los animales castigados. Uno de ellos permanecía ante la puerta. Adelanté el destornillador hacia su cara y se echó a un lado. No me siguieron cuando salí del bar. Los vi parados tras el cristal con dibujos de bocadillos y platos combinados, mirándome con las cabezas juntas, alumbradas por los parpadeos azules de la televisión.

Entré en el portal contiguo al de la *boîte Tabú*. En la acera ya no estaba el automóvil que había traído a la muchacha. Cerré por dentro y encendí la luz de la escalera. Al fondo había un patio lleno de cajas de botellas. Me empujaba una ira tan pura y tan poderosa como la fría voluntad de cazar, como el instinto de matar a otros para no morir yo. En otro tiempo yo había matado, cuerpo a cuerpo, manejando en mi mano derecha un cuchillo o firmando una orden de ejecución. Ahora aquel instinto olvidado renacía en mí como el rencor y la furia de la juventud. Había una pequeña puerta enrejada en el patio. Hice saltar la cerradura con el destornillador. Reconocí el corredor con bombillas rojas que llevaba a los camerinos y busqué el de Rebeca Osorio. Sentada de espaldas al espejo, una mujer gorda, con el pelo teñido de rubio, estaba cosiendo un vestido. El hombre de la espalda torcida conversaba con ella, haciendo ademanes femeninos que mi llegada interrumpió. ¿Cómo no me di cuenta antes de que llevaba colorete en los pómulos?

—Capitán Darman —dijo, sin sorpresa, como si hubiera estado esperándome y lamentara mi temeridad—. Le dije que no viniera. Se lo pedí.

—Quiero verla —me acerqué a ellos, con el destornillador en la mano, y la mujer gorda retrocedió, soltando la costura, que cayó entre sus pies—. Usted me llevará.

—No se fíe de su imaginación, capitán —el hombre sonreía, y las arrugas de su cara abrían leves hendiduras en el maquillaje—. Usted cree que la vio entrar, pero no es cierto. La impaciencia sexual provoca alucinaciones. Esa muchacha es una alucinación de sus ojos.

La mujer gorda se enredaba nerviosamente los dedos con anillos sobre el vientre abultado. Tenía la cara lisa y brillante como porcelana y sus cejas eran dos largas líneas pintadas. Sentados allí, en el camerino, con las rodillas juntas, como dos mujeres que charlan para distraer la costura, parecían los guardianes de un recinto impenetrable y trivial, los celadores de un prostíbulo.

—Está bien —dijo el hombre de la espalda torcida, levantando las manos, como si lo amenazara un revólver—. Si no me cree yo mismo le mostraré las dependencias de la casa. Pero los sueños son mentira, capitán. Pura mentira, como las películas que poníamos en el Universal Cinema.

Salí tras él al corredor. Los ojos de la mujer gorda miraban como incrustados en la carne de un pulpo. Cojeaba delante de mí, abriendo una tras otra las puertas de los camerinos y encendiendo las luces para mostrarme el interior con los fluidos ademanes de un ilusionista que enseña al público una caja vacía o un pañuelo sin misterio. «Nada», me decía, «usted mismo puede comprobarlo, abra los armarios si quiere, mire detrás de las cortinas, nada, capitán», y seguía andando a cojetadas y torciendo hacia mí su cabeza sin cuello, un poco sudoroso, irónico, servicial, mirando a veces de soslayo la punta del destornillador. Cuando llegamos a la sala pulsó un conmutador y se encendieron al mismo tiempo todas las pequeñas lámparas azules de las mesas como llamas votivas, y también la luz del escenario desierto. Subió a él encorvándose como si escalara velozmente con el auxilio de las manos y me miró desde arriba, pisando las sonoras tablas, triunfal, desafiándome con su cara de burla, él y yo solos en aquella penumbra que unas horas después se poblaría de miradas y cuerpos, igual que dos actores en un teatro todavía cerrado donde el eco vuelve extrañas las voces. «Desengáñese, capitán», repetía, frotándose las manos, y levantaba la cortina negra del fondo para que yo viera el tabique de ladrillo desnudo y la entrada del pasadizo por donde ella desaparecería al apagarse la luz del reflector, «no se quede ahí, suba conmigo, ningún secreto para usted en la *boîte Tabú*».

Me retaba sin pudor a que descubriera su mentira, con el tranquilo descaro de un tahúr, y yo subí al escenario y aparté también la cortina y toqué el muro de ladrillo, y cuando me asomé al pasadizo él encendió una linterna para que comprobara con certeza que terminaba ante las puertas de los camerinos, como un honrado propietario que no tiene nada que ocultar a las inquisiciones de la policía. Así había ocurrido la otra vez, cuando buscaba a Walter por los pasillos y las habitaciones del Universal Cinema y estaba seguro de que no podría escapar y no logré encontrarlo. En lugar de un cuchillo de caza ahora yo manejaba un destornillador: deambulando entre las mesas de la *boîte Tabú* a la zaga de aquel hombre sin cuello que me sonreía como a la víctima de un tramposo hipnotismo notaba en mis actos una fatiga de parodia y escarnio. Valdivia vigilaba la puerta principal: un cómplice reclutado por él entre los porteros del cine se había apostado junto a la salida de emergencia. Ninguno de los dos vio a Walter, y no había más puertas en el edificio, pero Walter huyó, y sólo el azar me permitió encontrarlo.

—Ha desaparecido, capitán —dijo el hombre de la espalda torcida. Por un momento pensé que me hablaba de Walter: sin duda él sabía y recordaba, y al burlarse ahora de mi búsqueda en vano establecía su semejanza con la de tantos años atrás. Abrió en el escenario sus largos brazos de mono señalándome el espacio de la sala vacía y luego los dejó caer como un director de orquesta cuando acaba secamente la música.

—Para mí ha sido un placer acompañarle —ahora hablaba en voz baja. Consultó su reloj y se frotó las manos. Ya no declamaba—. Pero lamento decirle que ya va siendo hora de abrir. No tenga prisa, no se vaya todavía. La casa le invita a una consumición. ¿Ha probado nuestro *polinesian*? Venga a la barra, le prepararé uno. O a lo mejor quiere marcharse en seguida. Tengo entendido que hay un vuelo a Londres por la noche. ¿Lo tomará usted, capitán?

Esta vez era yo quien estaba solo en el escenario y él quien me miraba desde abajo, apoyado en una columna, con su rasgada boca sonriéndome. Imaginé el aeropuerto como un lugar muy lejano, con altos ventanales iluminados en la noche y luces rojas parpadeando sobre la torre de control. Pero no imaginaba, estaba recordando el aeropuerto de Florencia, cuando llegué allí en un avión de hélice y no había nadie esperándome, cuando tuve a mi alcance la posibilidad de arrepentirme y volver y no lo hice. Pero entonces todavía estaba tan lejos del pasado como de un país remoto que sólo conociera por los mapas minuciosos de las enciclopedias. Y ese entonces era ayer, o unos días antes, el domingo por la noche, no la lejana edad que me sugería la memoria. Sentado tras la barra el hombre de la espalda torcida mezclaba licores en una coctelera y los agitaba con una larga cuchara que relucía como plata, olvidado de mí, victorioso, con sus chatas manos moviéndose entre las sombras azules.

—Me acuerdo de usted, capitán —dijo, desde el otro extremo de la sala, sin levantar la voz, fingiendo que sólo se ocupaba de la preparación de las bebidas—. Me acuerdo de que yo estaba en al taquilla y lo vi a usted en la plaza, con un libro en las manos, uno de esos libros que escribía ella. Todos tenían miedo de usted, contaban los días que faltaban para que usted llegara. Yo los oía hablar en voz baja, y ellos ni me miraban, ni me veían, cómo iban a verme, siempre encerrado allí, esperando que viniera alguien para venderle una entrada. Pero usted llegó y yo supe por qué tenían tanto miedo. Usted se acercó y me pidió una localidad, ya no se acuerda, desconfiaba de mí, y de todos, usted venía de otro mundo y ellos creían al principio que les iba a ser muy fácil engañarlo, pero yo no, yo me di cuenta, capitán, bastaba ver cómo se acercaba a la taquilla y se guardaba el libro en la gabardina para saber que usted no estaba jugando, con las manos en los bolsillos, con el sombrero encima de los ojos, qué miedo le tenían, capitán, cómo cambiaron cuando usted llegó.

Bajé del escenario, guardando el destornillador en el bolsillo como una absurda herramienta, queriendo imaginar, sin resultado alguno, a ese desconocido al que invocaban las palabras del hombre que preparaba las bebidas, y entonces, cuando el reflector azul ya no me cegó, vi el palco desde donde miraba solitariamente cada noche el comisario Ugarte, el hermetismo de sus cortinas cerradas, y entendí sin motivo y sin vacilación por dónde había desaparecido ella y cuál era el camino que debía seguir para encontrarla.

Fue un vertiginoso instante de clarividencia que el hombre de la espalda torcida no dejó de advertir. Debajo del palco, junto a la pared, había una pequeña escalera portátil. Él la había reclamado desde la cóncava oscuridad y ella había acudido, poseída por la fascinación de la brasa roja de sus cigarrillos, dócil como una ciega, entregada, tan de antemano rendida como cuando yo la arrojé sobre la cama del hotel de una bofetada, tan vulnerable como Andrade, la otra víctima, la otra presencia abolida en la *boîte Tabú.* Cuando estaba conmigo en el hotel ella ya sabía que tenía que obedecer la llamada del comisario Ugarte, y se habría vestido como para la culminación de una ceremonia, destinada al sacrificio, resignada a subir esos tres o cuatro peldaños de madera que la llevarían al otro lado de las cortinas del palco, fugitiva y presa para siempre, caminando por sótanos y habitaciones vacías hacia el otro extremo de la manzana de casas, hacia el Universal Cinema, el secreto centro del mundo y del pasado, del laberinto donde aquel hombre insomne que fumaba tejía su telaraña de predestinación. Me quedé mirando las cortinas rojas y me pareció que se movían y que también a mí me llamaban, y el hombre de la espalda torcida dejó de fingir y olvidó las copas y la coctelera y vino hacia mí diciéndome que no subiera, que no había nada en ese palco vacío. Se paró delante de mí, empujándome con su pecho abombado, dijo que si yo entraba ya no sabría volver y que en cuanto diera unos pasos iba a perderme en la oscuridad, ahora repetía muerto de miedo esa palabra como si aludiera a una divinidad vengativa, la oscuridad, decía, «no entre ahí, capitán», casi implorándome, chocando contra mí, despavorido, queriendo retorcerme los brazos con la furiosa energía de un estrangulamiento, «si entra ya no podrá volver, no habrá perdón», se sofocaba queriendo derribarme, como si impulsara sus hombros contra un estatua o un muro, y yo tropecé y caí sobre una silla tirando al suelo una lámpara y cuando me puse otra vez en pie él seguía encorvado ante la cortina del palco, defendiéndola, las dos manos caídas y oscilantes a lo largo del cuerpo, fijo en mí como un perro guardián, como un perro viejo y asfixiado que desafía a un intruso.

Fui hacia él cerrando los dedos de la mano derecha en torno al puño del destornillador y al saber sin ninguna sombra de duda que estaba a punto de matarlo sentí piedad de su pecho deforme y de su cabeza sin cuello y lo vi desarmado por el terror y resignándose a la fatalidad de morir, mirando el agudo filo de metal que yo agitaba ante él para inducirlo a que se apartara, pero no se movía, se había subido al primer peldaño de la escalera y me esperaba allí, con su boca de máscara, con su chaleco ceñido como un corsé ortopédico y su pañuelo azul sobresaliendo junto a la solapa. Yo tenía que saltar al otro lado del palco y él sabía que estaba perdido si me lo permitía y también que le era imposible impedírmelo. Cayó sobre mí y se abrazó a mi cintura casi levantándome, golpeándome el estómago con su dura y roma cabeza, murmurando palabras entre los dientes apretados, y cuando le clavé el destornillador en la espina dorsal y sentí la resistencia del hueso se encogió blandamente contra mí y hundió la cara en mi pecho como si buscara un refugio, quieto ya, sin respirar, apacible, todavía abrazándome, cayendo muy despacio a mis pies en una actitud como de pleitesía. Me desprendí de él, abrí las cortinas del palco y salté al interior. Desde el escenario la mujer gorda me miraba con sus ojos de pulpo, tapándose la boca.

16

«Nadie puede acercarse a él», me había dicho la muchacha, «nadie lo ve entrar ni salir». Pero uno o dos minutos antes de que ella apareciera en el escenario una mano abría ligeramente las cortinas del palco y la punta de un cigarrillo comenzaba a brillar como suspendida en el vacío a la altura de una boca invisible. Llegaba a la *boîte Tabú* por un camino que nadie más que él conocía, él y tal vez el hombre de la espalda torcida, su emisario y guardián, acaso el único al que le permitía verle la cara y visitar la sombra donde se escondía, su intermediario en el trato con las mujeres venales y los delatores. Cada noche, cuando saliera a cantar, ella lo vería igual que lo había visto yo, no exactamente un hombre, sino una densa presencia despojada de forma, como un gran pez casi inmóvil en una gruta submarina, sus labios como branquias contrayéndose para chupar el cigarrillo, sus gafas que relucían al encenderse el mechero. Aparecía en el palco cuando ella estaba a punto de salir y se marchaba inmediatamente después de que se quedara desnuda, o al menos la cortina roja se cerraba y ya no volvía a abrirse esa noche, pero yo pensé que era capaz de permanecer muchas horas oculto tras ella, sentado y fumando, espiando por el solo gusto de la invisibilidad las voces y el ruido de las copas. Y luego se levantaría alumbrando con su poderosa linterna las paredes de los corredores que lo devolvían al mundo, a su pública dignidad de comisario que administraba las potestades del miedo desde un despacho de la Dirección General de Seguridad.

Pero ahora yo estaba pisando la frontera prohibida de esa tierra de nadie que lo circundaba, veía el sillón que él ocupaba cada noche y las colillas mordidas que había dejado como rastro en el suelo y tanteaba el quicio de una puerta entornada que se abrió silenciosamente hacia la oscuridad, hacia un túnel tan estrecho y tan bajo que tenía que avanzar de costado e inclinando la cabeza. Había dejado las cerillas en la gabardina y no podía alumbrarme con nada, y recorría inútilmente las paredes con las manos buscando un conmutador, pero sólo tocaba ladrillos ásperos y fríos de humedad, y el pasadizo era cada vez más angosto y se quebraba en agudas esquinas y en peldaños súbitos que bajaban o ascendían hacia ninguna parte. Tropezaba, chocando contra la pared, extendía las manos para no herirme con las aristas de ladrillo, sepultado y perdido, y temía que las paredes y el techo se cerraran sobre mí como el cubículo de un nicho, como la tapa de un ataúd. No había ni un resquicio de claridad en la sofocante tiniebla ni me llegaba más sonido que el de mis pasos y el del roce de mi ropa y mis manos contra el muro, y al cabo de unos minutos ya no supe cuánto tiempo llevaba extraviado en el túnel ni si subía o bajaba.

Pisé algo blando, oí un chillido y un cuerpo suave y veloz se deslizó entre mis pies. Me pareció que veía los ojos de una rata y que escuchaba su respiración, pero era la mía, y me quedé quieto, oyendo un rumor de latidos y uñas. Adelanté luego poco a poco los pies sin separarlos del suelo, apoyando las palmas de las manos en las paredes, con la cabeza baja, como si el peso del techo me aplastara la nuca, y de pronto ya no podía tocar nada y me agobiaba el espanto de quien sueña que se ha quedado ciego y que está solo. Ahora olía a alcantarilla y el suelo rezumaba agua. Di unos pasos y tuve miedo de perder el conocimiento, porque mis dedos extendidos seguían sin encontrar nada, y para no caerme me arrodillé y avancé apoyándome en las manos, notando un frío de lenta cuchillada en los huesos, y cuando al fin pude tocar algo, el plomo helado y viscoso de una tubería, quise ponerme en pie y me golpeé la cabeza contra un filo de piedra y caí, sintiendo durante un segundo larguísimo que me tragaba la hondura de un pozo.

Tardé en moverme. Me había herido un tobillo. Oía muy cercana una gota de agua tan obsesiva como un reloj en el insomnio. Era preciso que avanzara, pero no sabía hacia dónde. Subí casi reptando unos peldaños por los que resbalaban mis manos como sobre la piel de un animal húmedo. Me levanté muy cautelosamente, asiéndome a la tubería. «Nunca podrán encontrarlo porque sabe esconderse en la oscuridad», me había dicho alguien, pero yo no recordaba quién, y en cualquier caso yo sí iba a encontrarlo, aunque se escondiera en el mismo vientre del mundo, aunque tuviera que pasar tanto tiempo en aquellos túneles sin luz que mis pupilas aprendieran a distinguir las cosas en la sombra. Tenía que llegar hasta el fin y buscar a la muchacha para rescatarla de aquel vendaval de desastre que había levantado mi presencia en Madrid. La buscaba por un borroso deseo de restitución, por lealtad a Andrade, a esa última mirada que se vitrificó en sus ojos cuando la muerte lo rindió. Había bajado por ella a aquel lugar que parecía el reino de los muertos, al oscuro subsuelo donde alentaba la infamia, porque me daba cuenta de que paso a paso estaba acercándome a la raíz de la culpa y de la corrupción, y allí no me servían ni mi inteligencia ni mis ojos, sólo el instinto de reptar y moverme adhiriéndome a la superficie negra de los muros, la tenacidad de seguir avanzando como si horadara la tierra y de prevenir el peligro en el olor del aire y en los ruidos cercanos, igual que un topo o que uno de esos animales que cazan de noche. Caminé un rato guiándome por la tubería, ascendiendo ya por peldaños que no eran de piedra, sino de madera, y el aire que ahora respiraba no estaba envenenado por el olor a cieno. Toqué sobre mi cabeza una trampilla que cedió al empujarla. Me arrastraba sobre las rodillas y las manos, buscando una pared que me guiara de nuevo, tiritando de frío, con la ropa húmeda y tal vez desgarrada, me quedé tendido y quieto unos instantes para recobrar el aliento y al abrir los ojos, aunque no me había dado cuenta de que los tenía cerrados, vi al fondo una tenue raya de luz horizontal. Pensé que era mentira, apreté los párpados imaginando que cuando volviera a mirar ya habría desaparecido la luz, pero siguió allí, más delgada y precisa, blanca, junto al suelo, como una cinta extendida que hiciera aletear el viento, porque se estremecía y casi se apagaba y volvía luego a brillar. Sin incorporarme todavía me acerqué a ella, me puse en pie venciendo el dolor intolerable de las articulaciones, hice girar el pomo de una puerta y un vasto rectángulo de claridad blanca me cegó. Vi una cara inmensa que movía en silencio la boca, vi un horizonte azul de tejados sobre el que dos hombres corrían persiguiéndose, sombras planas y oblicuas que se precipitaban en una muda dispersión de catástrofe. Había llegado al Universal Cinema, estaba detrás de la pantalla, mirando desde muy cerca las desmedidas figuras de una película despojada de voces.

Razoné que lo que me sucedía era imposible: que estaba siendo atraído hacia una trampa. La cara de un hombre con la boca abierta y unos ojos azules de locura ocupaba toda la pantalla. Las manchas de luz se movían a mi alrededor como las fosforescencias silenciosas y turbias de un paisaje submarino. Veinte años después yo había repetido a la inversa el camino de la huida de Walter. Me aturdían los sobresaltos de claridad y de sombra que disgregaban el espacio como si nada tuviera un volumen firme de verdad, ni yo mismo, una silueta oscura y confundida con las otras y perdida entre ellas, deslizándose sobre una sucia pared de ladrillo, sobre el gran lienzo blanco donde se proyectaba la película.

Aparté la cortina lateral para mirar hacia el patio de butacas. Era más grande de lo que yo recordaba y no había nadie en él y parecía intocado por la ruina, salvado de ella por la oscuridad y el silencio como las cámaras selladas de una tumba egipcia. Al bajar a la sala sentí que me desprendía de la irrealidad de la película, que recobraba otra vez la forma de mi cuerpo y la soberanía de mi conciencia, incitada por el reconocimiento de todas las cosas perduradas, del mismo olor a ambientadores rancios que había notado en el aire la primera vez que llegué, del ruido monótono del proyector cuyo foco parpadeaba tras una pequeña ventana rectangular que parecía llamarme desde lejos, desde la zona más oscura de butacas donde una vez me había sentado para esperar a Rebeca Osorio.

Andaba como anestesiado, como amordazado por el mismo silencio que anegaba las convulsas imágenes de la película, y el ruido del proyector sonaba igual que los motores de un transatlántico desierto que viajara a la deriva, por el tiempo y no por el mar, por las geografías soñadas de una antigua desesperación que parecía compartir el hombre de ojos azules que gritaba sin voz en la pantalla, a mi espalda, en esa película que no veía nadie porque estaba sucediendo en un cine clausurado muchos años atrás. Tenía que repetir paso a paso mi viaje de entonces: la salida de emergencia, no alumbrada ya por una bombilla roja, la escalera que me conduciría a la cabina de proyección. Anduve a tientas, pero el recuerdo me ayudaba a moverme en la sombra, y mis ojos se habían acostumbrado a ella, un corredor, una escalera, tenía que pisar con cuidado, para que nadie supiera que venía, tenía que abrir de golpe la puerta de la cabina y que enfrentarme tal vez a una mirada temible, pero la empujé y tampoco allí había nadie. Los engranajes del proyector se movían con una sorda lentitud automática, y olía a humo de tabaco y a celuloide caliente y en las paredes seguían sonriendo con entusiasmo dentífrico caras de actrices rubias anteriores a la guerra. «Quieren que siga buscando y que me pierda del todo», pensé, «quieren que me vuelva loco y que haga las mismas cosas que hace veinte años, igual que obligaron a Andrade a repetir el destino de Walter y a que esa muchacha se convirtiera en Rebeca Osorio». Querían que diera los mismos pasos y que escuchara exactamente los sonidos de entonces, porque salí de la cabina y cerré la puerta y cuando ya casi no oía el proyector me llegó desde lejos otro ruido multiplicado y febril, el de alguien que escribía a máquina con dedos veloces, más arriba, en las habitaciones altas, cerca del desván donde escondieron a Valdivia, donde él y yo nos desvelábamos de noche oyendo escribir a Rebeca Osorio.

No le vi la cara al principio, porque estaba sentada de espaldas a la puerta, inclinada sobre la máquina. Le habían arrebatado su propia vida, la habían hecho vestirse y peinarse para que fuera igual que su madre y ahora la condenaban a visitar los mismos lugares donde su madre vivió y a fingir que escribía a máquina con los mismos gestos con que ella lo hacía. Y lo aceptaba todo sin rebelarse nunca, con una absorta sumisión, igual que había llegado a mi hotel y se me había ofrecido mientras quería imaginar tal vez que no era yo sino Andrade quien la estaba abrazando. Sólo Andrade la hizo revivir, pero ahora había muerto y ya no quedaba nadie que la salvara de las fantasmagorías urdidas para enajenarla, nadie más que yo podía sacudirle los hombros como quien quiere despertar a alguien de una pesadilla y decirle que huyera, y me acerqué a ella y la toqué y cuando volvió la cara ya no era la muchacha con la que había estado unas horas antes, sino una mujer vieja, maquillada y lívida, súbitamente estragada por la decadencia, con los labios secos y los huesos salientes, con las manos amarillas y endurecidas de artrosis que se curvaban sobre el teclado de una máquina de escribir donde no había ningún papel.

Pero era ella, Rebeca Osorio, la primera, la única, no su ficción ni su parodia futura, la reconocí como me reconocería a mí mismo en un espejo, como sabría identificar mi rostro si lo tocara en la oscuridad, el azul de sus ojos, ahora húmedo y exagerado y vacío, su pelo, groseramente teñido y despeinado, con las raíces blancas, la manera que tenía de morderse los labios y de mirar hacia mí, aunque me di cuenta de que no me veía ni me recordaba. Bastaba atreverse a buscar sus pupilas y a sostener su expresión de desvarío y fijeza para comprender que estaba loca, desasida del presente y de la razón, de todo, igual que si caminara por un desierto de hielo. No parecía que hubiera ido envejeciendo con la apacible crueldad de los años, porque en su cara se confundían indescifrablemente los rasgos de la juventud y la extrema degradación que preludia la muerte, como si le hubieran aplicado un maquillaje obsceno o una máscara para ocultar su verdadero rostro con la gangrena de la decrepitud.

Me dio la espalda, negando con la cabeza, golpeando otra vez el rodillo de caucho negro de la máquina, que giraba vacío, imaginando tal vez que escribía las palabras murmuradas entre sus labios como una confusa melodía. Dije su nombre, me quedé parado frente a ella, pero no alzaba los ojos, más bien intentaba recluirse en el acto de escribir cada vez más rápidamente, y sus dedos rígidos resbalaban sobre el teclado y las varillas terminadas en pequeños caracteres de plomo se enredaban entre sí sin que ella acertara a separarlas, remordida de impaciencia y de ira, diciendo cosas que yo no podía entender, palabras segregadas por su pensamiento sin memoria. «Rebeca», le dije, «mírame, soy Darman», y detuve con mi mano el carro de la máquina para que no siguiera fingiendo o creyendo que escribía. Miró las varillas que me golpeaban débilmente los dedos, y cuando quiso apartarme la mano y yo estreché la suya me pareció que por fin se estaba dando cuenta de que había alguien con ella en la habitación, una voz que le hablaba y repetía el nombre de un extranjero o de un desconocido, Darman.

Tocaba sus secos nudillos, duros como huesos, eludía las agudas uñas que buscaban mi piel, torpemente pintadas, como manchas de sangre sobre el cartílago amarillo, le tomaba las manos para empujarla hacia mí desde el otro lado de la mesa, sobre la alta máquina, y ella me arañaba suavemente y retrocedía posándolas de nuevo en las teclas redondas, como si volviera a un refugio, las dos manos autómatas plegándose con los espasmos defensivos de un doble racimo de extremidades de insectos, articuladas, quebradizas, hurgando a ciegas en los intersticios de la armazón metálica. «Dónde está tu hija», le pregunté, «dónde la ha llevado Ugarte». Pero no me escuchaba o no me entendía, y sus ojos, en los momentos fugaces en que me miraban, parecían interrogarme sobre el idioma en que yo estaba hablándole. Repitió ese nombre, Ugarte, separando mucho las sílabas, con los labios abiertos, como se intenta decir una palabra extranjera, y luego puso la cara muy cerca del teclado y levantó los dedos como si buscara alguna letra inusual. Pulsó la u, luego tardó unos segundos en encontrar la próxima letra, y respiraba muy fuerte, mordiéndose los labios, hundió en la g el índice de la mano derecha mientras reproducía su sonido en la garganta, exagerándolo como un sordomudo, con la intolerable lentitud de un jadeo de asfixia. Otra vez le quise apartar las manos de la máquina y se revolvió contra mí adhiriendo a ella los largos dedos engarfiados, pero la tomé de las muñecas y la obligué a levantarse y la sacudí con violencia contra la pared queriendo que volviera a mirarme, y ella bajaba los ojos y hundía la cara sobre el pecho, negando siempre, negándose a ver y acaso también a recordar, muerta en vida, naufragada en la amnesia.

En un arrebato de furia y de piedad le hice levantar la barbilla y le aparté el pelo de los ojos, diciéndole su nombre, pidiéndole desesperadamente que se acordara de mí, pero hablarle era como arrojar una piedra al fondo de un pozo y no oír nunca la resonancia de su choque en el agua.

Acariciaba sus facciones notando debajo de la piel la intacta perfección de los huesos, miraba de cerca las arrugas hondas y multiplicadas como cicatrices del tiempo, de una fiera maldad a la que nadie había podido sobrevivir, y cuando le rozaba las sienes me detuvo bruscamente la mano y abrió los ojos y yo supe que me había reconocido y que el odio hacia mí era lo único que duraba en la oscuridad de su conciencia. Ahora me veía, ahora deseaba maldecirme y negarme con la transparencia congelada y azul de sus pupilas inhumanas, y cerró los puños y empezo a golpearme la cara y el pecho igual que golpearía un ciego. Pero tal vez ese impulso de odio no se lo dictaban los últimos y maltratados despojos de su memoria,

218

sino un hábito tan inconsciente como el de respirar o pintarse las uñas o seguir escribiendo en una máquina donde ya no había ningún papel, sólo un rodillo negro en el que las huellas de las letras se borraban instantáneamente entre sí sin llegar nunca a constituir una palabra. Ya no era Rebeca Osorio, la que yo conocí, no era nadie, no era más que la inercia de su propio rencor que revivía ante un nombre y una cara aparecida como en mitad de un sueño, y yo me tapaba con las manos para escapar a sus golpes y para cubrirme los ojos y no seguir viéndola, yo, que tanto la había deseado, que había dedicado mi vida a no querer recordarla para no morirme de culpabilidad y de amor, que me sentaba en la penumbra del Universal Cinema imaginando que venía a conversar conmigo igual que la primera vez y que la atraía hacia mí y la besaba tan impúdicamente como la besó Walter en aquel bar donde los espié tantas tardes de invierno, no en esta ciudad a la que ahora había vuelto, sino en el Madrid en blanco y negro del pasado.

Sus ojos relucían tras la maraña sucia del pelo y yo huía de ella chocando contra la mesa, buscando imposiblemente un lugar donde estuviera a salvo de su rabia. Levantó la máquina tambaleándose bajo su peso y la arrojó hacia mí, asombrada ella misma por el escándalo de los trozos de metal dispersos en el suelo, y entonces yo, temblando de miedo, pasé a su lado sin mirarla y abrí la puerta y al buscar el pomo desde fuera toqué una llave y la hice girar: también Ugarte la encerraba, pensé en un relámpago de lucidez, y me acordé de algo que me había contado la muchacha, que algunas veces ella se recluía para escribir en una habitación y no le abría a nadie. Entonces ya estaba contaminada de locura, y se escondía para que ni su hija ni el hombre que suplantaba a Walter pudieran averiguarlo: quería que oyeran el ruido de la máquina de escribir estableciendo así un conjuro para su soledad, pero ya no escribía nada, como esos alucinados que fingen comer y mastican el aire o que conversan serenamente con una pared o un espejo, ya trastornaba su conciencia el mismo vacío azul que había brillado siempre en sus ojos.

Hice girar la llave y me quedé quieto contra la puerta, oyendo sus manos que arañaban y su respiración de animal atrapado, oyéndola llorar a gritos y golpear las paredes, imaginando que la oía pronunciar mi nombre y que me llamaba en voz baja.

17

Los arañazos en la puerta, los golpes y las patadas estremeciendo la pared como un dique que se rompería si yo no me apartaba, porque ella sabía que no me había ido aún, que estaba espiándola, como cuando fingía que ni ella ni Walter me importaban y establecía mientras tanto los episodios de su perdición. Walter había muerto, y cuando le disparé a la cara se salvó del dolor y ya no podía tocarlo la sospecha de la deslealtad, pero ella siguió viviendo y fue lentamente aniquilada por el recuerdo del crimen y por la soledad, y yo sabía que ni siquiera tuvo el coraje de permanecer firme en el culto a su memoria, porque vivió con otro, porque compartió con otro la hija que había nacido cuando Walter ya no existía, y se envileció igual que yo me había envilecido al regresar a Inglaterra y adquirir una pensión y una dignidad que me permitieron establecer una tienda de grabados antiguos en una repulsiva ciudad de tahúres y veraneantes y emboscarme en otro idioma y en una silenciosa familia que fingía aceptar las coartadas de mis desapariciones y en la que toda pregunta y todo gesto de pasión eran inconveniencias parecidas al alcoholismo evidente o a la costumbre de no asistir a las funciones religiosas en las mañanas de domingo. Rebeca Osorio no se había vuelto loca ni había perdido la memoria: eligió la locura y la amnesia con la misma determinación con que se elige el suicidio para no seguir comprendiendo, para que la huida y la muerte de Walter no le siguieran ocurriendo interminablemente como un tumor que muerde las vísceras de un enfermo y que continúa matándolo mientras está dormido y mientras cree olvidar. Sin duda ella supo siempre lo que yo empecé a vislumbrar cuando vi la cara de Andrade y entendí que no podía ser un traidor porque había nacido para víctima del heroísmo o del fraude, para culpable inmolado de los errores de otros y de cada uno de sus propios actos, de su inocencia inútil, de su tardío y torpe amor por una mujer que ni siquiera tenía una existencia real porque era la copia y la falsificación de otra, igual que él mismo había sido condenado a repetir la biografía y la desgracia de un héroe muerto veinte años atrás. Sin duda ella supo desde el principio que el verdadero traidor era otro y que era invisible, Beltenebros, el que se escondía en la sombra y en la simulación de la lealtad, el que seguía viviendo impune gracias a las muertes simétricas de Walter y de Andrade y ahora mismo respiraba inmóvil tras la brasa de un cigarrillo en alguna habitación del Universal Cinema.

«Yo sé quién eres», oí que le decía la muchacha en el almacén, pero era improbable que ella lo supiera, y si de verdad había averiguado su identidad anterior a la del comisario Ugarte difícilmente le sería permitido vivir. Hizo que viniera aquí para matarla, aunque tenía la costumbre y la astucia de no llevar a cabo por sí mismo sus ejecuciones, prefería cegar y usar a otros para que fueran sus involuntarios verdugos.

Él decidió la muerte de Walter, pero fui yo quien se manchó con ella, él ordenó pormenores y trampas y mentirosas revelaciones para que en París alguien creyera deducir que Andrade se había convertido en un traidor, y mi viaje desde Inglaterra y la vana hombría de Luque al disparar una escopeta de caza contra aquel muerto prematuro que huía eran las consecuencias exactas y finales de una conspiración imaginada por Ugarte tan serenamente como una oblicua jugada de ajedrez. Pero ya me habían dicho que él nunca tocaba a los detenidos, que eran otros los que se ensañaban con ellos en los calabozos, y que Ugarte sólo miraba desde la penumbra, indescifrable y quieto, fumando, dispuesto luego a escuchar y a ofrecer persuasivamente cigarrillos, solo y secreto, casi bondadoso, adicto a la música de cámara y a los boleros procaces de la *boîte Tabú*.

Pero yo voy a encontrarlo, pensé, mientras huía por un corredor en sombras para no oír los arañazos de Rebeca Osorio en la puerta cerrada, voy a encontrarlo y lo voy a matar, con mis propias manos desnudas lo mataría, golpeando su cabeza contra una pared, partiéndole el cuello, como me habían enseñado mis instructores ingleses durante la guerra, él me quitó la pistola pero no me importaba, podía matarlo sin armas y en la oscuridad, oliéndolo, guiándome tan sólo por el olor y la punta roja de sus cigarrillos, aunque se escondiera en el último sótano del Universal Cinema.

Usaba siempre gafas de cristales ahumados, recordé, incluso de noche, tenía siempre los ojos húmedos y enrojecidos, porque no podía soportar la intensidad de la luz, y yo había conocido la respuesta y no la supe comprender, Beltenebros, no pueden descubrirlo porque sabe vivir en la oscuridad: ahora sí me acordaba del hombre que me dijo eso, aquel alemán a quien interrogué en Londres, el que bebía ginebra y se burlaba de mí y de su propia derrota y del cadalso y la soga oscilante a donde lo condujeron unos días después. Yo andaba por los corredores del Universal Cinema sin ver nada, tanteando las paredes como un ciego que huye, también yo podía esconderme en la oscuridad y no ser aniquilado por ella, y mis pupilas ya veían luces, fulgores amarillos y rojos que tal vez me vaticinaban la locura, que me anunciaban su presencia de sombra. Lo había visto en el almacén y estuve a punto de reconocerlo, pero estaba gordo y se había vuelto muy lento, y hasta su voz había cambiado, cómo podía aceptar mi memoria que la estaba escuchando si me habían dicho que llevaba muerto muchos años, que lo detuvieron y lo interrogaron y que lo habían llevado en una camilla al paredón de fusilamiento y lo ejecutaron sentado porque no podía sostenerse de pie al cabo de tantas semanas de suplicio.

Empujé puertas de silenciosos resortes, rocé cortinas espesas en la oscuridad, subí y bajé escaleras que me hicieron perder el sentido de la orientación y del espacio y mientras avanzaba seguía oyendo en mi imaginación los arañazos y los golpes en la pared y el escándalo de la máquina de escribir que se había roto a mis pies en esquirlas metálicas. En la tiniebla sin matices veía brillar los ojos de Rebeca Osorio y me perseguía su mirada amnésica de odio y de condenación, y el ruido del proyector seguía sonando en alguna parte, muy cerca, porque sin darme cuenta me aproximaba de nuevo a él. Vi un círculo de luz gris, una de las pequeñas ventanas ovales que había en las puertas que daban a la sala. Llegué a ella, pero no al patio de butacas, sino a las localidades altas que llamaban de paraíso, un graderío con resonantes escalones de madera que se prolongaba casi verticalmente hasta el techo y desde donde daba vértigo mirar hacia abajo cuando se encendían las luces al final de las películas. Parecía que si uno resbalaba por aquellos peldaños no bastaría la barandilla para detener su caída, y que los globos blancos que pendían del techo estaban al alcance de la mano. El patio de butacas era desde allí un abismo de sombra, y la pantalla se veía mucho más pequeña en la oscura distancia, un silencioso rectángulo de colores hirientes donde un hombre y una mujer rubia viajaban en automóvil a través de una noche de resplandores azules y conversaban sin palabras, una noche falsa y veloz de transparencia cinematográfica.

Escuché una sofocada respiración, una voz que gemía. A la temblorosa y lívida claridad que reflectaba la película me pareció que estaba viendo un cuerpo desnudo, un cuerpo blanco y tirado en las gradas más altas. Subí hacia ellas y el quejido de la voz iba haciéndose más próximo y al mismo tiempo más abstracto, como si procediera de los altavoces, no de la realidad, sino de la ficción sonámbula del cine. Pensé que al menos la muchacha estaba viva todavía y que me quedaba la posibilidad imaginaria y heroica de salvarla. Vi el vientre sombrío y como sajado entre los muslos, la piel tan joven de gastada blancura temblando a la luz de la película y la cara manchada por el pelo, hundida entre los jirones de la oscuridad. Subí hacia ella, la toqué y sus pechos estaban mojados por una materia húmeda y fría que resbalaba hacia su cintura y goteaba en el suelo y despedía un olor de corrupción. Retiré con asco la mano que había querido acariciarla y busqué su cara y sus ojos, pero no los veía, era como si sus rasgos fuesen de cera y se los hubiera borrado una lenta bofetada de crueldad. Al notar mi cercanía ya no respiró y contrajo las rodillas contra el pecho, esquivando y doblándose sobre el suelo de tablas, tiritando de frío y tal vez de humillación y vergüenza, y a su alrededor estaban las prendas que le habían sido arrancadas, el vestido de raso negro, la estola de piel, sus altos tacones charolados, la gasa tenue de las medias que yo le había visto quitarse tan demoradamente en mi habitación del hotel y que otras manos desgarraron más tarde con la ciega urgencia de un deseo homicida, porque no era a ella a quien querían acariciar, sino a la otra, la que ya no reconocía a nadie ni deseaba a nadie, la que vivía en la locura como en una torre que se alzara sobre los últimos acantilados del mundo, sola y a salvo del dolor y ultrajada y desfigurada por sus cicatrices como por una enfermedad que hubiera seguido carcomiéndola más allá de la muerte.

Busqué su mirada y no la pude encontrar porque él le había tapado los ojos con un esparadrapo. Toqué las cuencas y noté los ojos que se movían bajo las yemas de mis dedos. «Ya no está aquí», le susurré al oído, «soy Darman, él ya no puede hacerte nada». Al escuchar mi voz se abrazó contra mí y sus muslos helados me rodearon la cintura, pero seguía temblando y las palabras que intentaba decirme se rompían en sollozos, «está aquí», me decía, «está muy cerca, lo oigo respirar, está mirándote». Su cara sin ojos y tan próxima a mí se me volvió desconocida, y cuando la alcé del suelo abrazándola miré hacia la pantalla y el hombre y la mujer de la película se estaban abrazando también y giraban o permanecían inmóviles contra un paisaje veloz de penumbras y luces. «Levántate», le dije, y tanteaba por las gradas buscando su ropa, «te ayudaré a vestirte, te llevaré fuera de aquí». Pero si la soltaba ella volvía a caer sordamente contra las tablas huecas que se estremecían bajo el peso de su cuerpo, tan blando y dócil como si lo hubieran despojado de los huesos, y seguía hablándome, diciéndome que no, que aunque yo no lo viera él nos estaba mirando, que lo veía todo y lo podía todo. Intenté levantarle muy cautelosamente un extremo del esparadrapo que le cubría los ojos como una tachadura, pero gritó de dolor igual que si yo hubiera querido desprenderle la piel. Tenía que llevármela, si no podía vestirla la levantaría desnuda en mis brazos y me la llevaría por los mismos túneles que recorrió Walter para escaparse de mí. «Está mirándote», dijo, ciega y erguida de pronto, y como si ese arrebato hubiera sido una señal se extinguió la película y todo el peso de la oscuridad cayó sobre nosotros.

«No puede vernos», le dije, «se ha apagado la luz». «Tenía una linterna», murmuró ella a mi lado, «búscala, enciéndela en sus ojos», y se apartó de mí y noté que palpaba el suelo con las dos manos, arrodillada sobre la madera que crujía. Ahora yo estaba tan ciego como ella y tenía miedo de que se alejara de mí y de no poder ya tocarla ni oírla, pero su respiración y su voz me guiaban en aquel espacio de sombra absoluta que se dilataba a cada instante a nuestro alrededor, como si crecieran inconcebiblemente las dimensiones del cine y las gradas se inclinaran despacio y fueran basculando para arrojarnos al vacío, volcándose igual que la cubierta de un barco cuyos últi-

227

mos pasajeros resbalan sobre la madera bruñida y no logran asirse a una cuerda o a una barandilla que los salven del naufragio y del vértigo. «Se le cayó la linterna», repetía ella, «tiene que estar por aquí». La linterna que había usado para deslumbrarla a ella en el almacén, recordé, la que encendía ante los ojos de los detenidos para que no pudieran ver su cara, grande y pesada como un arma, tan inmisericorde como la escopeta de caza que él no necesitó manejar para que Andrade muriera. Extendí las manos y no encontré el cuerpo de la muchacha, y al ponerme en pie para avanzar hacia donde la oía jadear y moverse tropecé con una tabla mal clavada y caí sintiendo que me tragaba la oscuridad y que iba a partirme la nuca contra el suelo lejanísimo del patio de butacas.

Me quedé inmóvil dos o tres gradas más abajo. Pero ya no la oía, ya no podía calcular dónde estaba. Dije su nombre y ella no me contestó. Me arrastré al filo del escalón de madera como si me deslizara con los ojos vendados por la cornisa más alta de un edificio. Tenía que oírla, era imposible que ya no estuviera muy cerca de mí, pero sólo escuchaba el latido de mi sangre y mi respiración y el roce lento de mi cuerpo, y el silencio agregaba a las tinieblas una sólida aspereza de muro. No puedo ver, pensaba, no puedo oír, muy pronto no podré moverme, atrapado por una densa sugestión de parálisis, como quien sabe que se ahoga o que se está congelando, pero era preciso que mi voluntad todavía no se rindiera, y me incorporé y cerré la boca para acallar el ruido de mi aliento. Entonces oí otra respiración y no era la de ella. Muy oscura y muy suave, un poco entrecortada y a la vez muy tranquila, como la de un gran animal que duerme. Me volví queriendo averiguar de dónde procedía y se detuvo. Tenía que fingir que no la había oído, no girar siquiera la cabeza.

«Te está mirando», me había dicho ella: tal vez también era capaz de oír el desplazamiento de una mano en el aire, y el aleteo de unos párpados y el ritmo de un corazón acrecentado por el miedo y hasta el rumor de las hebras de tabaco y del papel quemándose en un cigarrillo. Eso fue lo que vi al levantar la cabeza, una brasa quieta y rojiza en el vacío que se amortiguaba y revivía con el parpadeo de un ojo de reptil.

Estaba arriba, muy alta, sobre las últimas gradas, y comenzó a moverse imperceptiblemente cuando yo me moví, una pupila roja y sola en la ocuridad, una respiración susurrada y caliente y el volumen de un cuerpo que mis sentidos percibían con una clarividencia no exactamente humana, con un instinto arcaico de merodeo y acecho, ascendiendo con ademanes felinos sobre los quebrados ángulos de las gradas, buscando su cercanía como la de una presa apetecida y temible. Pero él se iba alejando de mí tan lentamente como yo me aproximaba, no hacia arriba, hacia la derecha, tal vez hacia la puerta de salida, y yo tenía que alcanzarlo antes de que se apagara la luz de pronto muy tenue de su cigarrillo, si me adelantaba a él le cortaría la huida, aunque era inútil, era él quien quería engañarme, quien estaba asediándome, bastaría que dejara de fumar para que yo volviera a perderlo igual que había perdido a la muchacha en aquel mar de sombra, pero seguía fumando con el único propósito de que yo supiera dónde estaba, infinitamente lejos y a unos pasos de mí, al otro lado de un abismo, el que separaba su omnipotencia y mi fracaso, su potestad de ver y mi ceguera, la lucidez de su conciencia y la confusión de la mía, empantanada en el error durante tantos años, intoxicada por todas las mentiras que él inventó para que nadie pudiera averiguar su identidad de traidor, su saña de carcoma que lo pudría todo y propagaba la sospecha y la muerte.

Seguí subiendo hacia él y oí sus pasos tranquilos y los cavernosos estertores del aire en sus bronquios. Vi la breve estela roja de la colilla que caía apagándose como si se hundiera en el agua. Tal vez había decidido concluir la tregua: podía matarme, si de verdad me estaba viendo, podía escapar y desvanecerse en su reino de sombra tan impunemente como se me había aparecido y cerrar desde fuera los túneles que llevaban a las alcantarillas y dejarme encerrado como en un sepulcro tras las ventanas y las puertas tapiadas del Universal Cinema. Grité y tenía tanto miedo que no me di cuenta de que era su nombre lo que estaba gritando. Pero me pareció, como en los sueños, que mi voz no rompía el silencio, que me levantaba y ascendía y que mi cuerpo no se había movido, atado a la oscuridad y oprimido por ella, agitándose entre una carnosa vegetación de tentáculos que se me enredaban sigilosamente a la cintura y al cuello y me mantenían atado contra el suelo. El chasquido de un encendedor me hizo volverme: no había sonado por encima de mí, sino a mi misma altura, aunque un poco más lejos de lo que calculaba. La llama ardió fugazmente iluminando los cristales de unas gafas. Se había sentado y me habló con la voz de quien se detiene a fumar reposadamente un cigarrillo. «Darman», me dijo, «yo quería que te fueras, yo no quería que vinieras aquí».

18

Era una voz inesperada, persuasiva y silbante, con modulaciones de fría ternura, casi de dolida reprobación, una voz sin rostro emanada de la sombra y suspendida en ella como la brasa del cigarro, indeterminada y precisa, como las facciones que la llama del encendedor no llegó a alumbrar, y se parecía muy poco a la que yo escuché la tarde antes en el almacén, cuando estaba oculto tras la cortina y él le hablaba a la muchacha.

Tampoco ahora la reconocía, o no del todo, pero era sin duda una de las voces del pasado y resonaba en mi memoria como en una casa desierta, en el espacio del olvido que habitó siempre, y también allí mismo, en el Universal Cinema, una voz simultánea a la de Rebeca Osorio y a la de Walter, a las voces falsas y españolas de las películas dobladas. No había énfasis ni amenaza en ella, sino una extraña y ávida melancolía, como la de quien acepta una culpa y no se atreve a solicitar el perdón: una voz que murmura desde el otro lado de una celosía cobardes palabras de inocencia. Resistirse a su influjo era tan difícil como rehuir la mirada de un hipnotizador, y yo la oía imaginando con la claridad de un súbito recuerdo todas las cosas que esa voz no iba a contarme, la vida oculta de aquel hombre sin cara que seguía fumando delante de mí, su vocación y su largo destino de impostor, durante tantos años, tal vez desde que yo lo conocí, desde que se acostumbró a la misteriosa sensación de no ser el que los otros suponían que era y acaso a no reconocerse del todo en ninguna de sus identidades plurales, la del conspirador, la del héroe muerto, la del comisario de la policía política que a medianoche se eclipsaba sin dejar rastro para acudir a un club ambiguamente clandestino o refugiarse junto a una mujer que estaba loca en un cine clausurado hacía muchos años. Pero es él quien está loco, pensé mientras lo oía hablarme, y ha convertirlo este lugar en una visión de su locura, en una cripta del tiempo fortificada contra la realidad y la luz y el paso de los días: ése era su verdadero y único reino, su castillo de irás y no volverás y el santuario donde oficiaba para nadie el culto a los muertos y celebraba sacrificios.

«Ahora tendré que matarte, Darman», dijo con pesadumbre, con la condolencia de un médico que explica la necesidad de una amputación, «te mandé avisos, pero tú no me hiciste caso, te he dejado escapar una y otra vez y tú has preferido quedarte, como si no te dieras cuenta de que te he tenido en mis manos desde que llegaste ayer a Madrid. Ya no eres tan hábil como en los viejos tiempos, Darman, te ciega la soberbia y no tomas las precauciones necesarias, las que tú mismo me enseñabas cuando éramos jóvenes, ¿no te acuerdas? Te has vuelto más torpe, ya no sabes caminar sin que se oigan tus pasos y tardas demasiado en descubrir cosas evidentes. Se te ha olvidado quién eras, Darman, pero yo sí me acuerdo, me he pasado todos estos años pensando en ti, no había nadie que pudiera igualarte, nadie más que yo te engañó, pero pensaba que tarde o temprano lo averiguarías y que ibas a venir a buscarme. Te tenía miedo. No me fiaba de ti. Me enteré de dónde estabas y envié a alguien para que me contara cómo era tu vida. Yo mismo fui a Inglaterra para verte, Darman. Vi tu casa, te vi detrás del escaparate de tu tienda, sentado en un escritorio, anotando algo en un libro. Estuve a punto de entrar: me arrepentí cuando ya había sonado la campanilla al abrirse la puerta. No entré porque me dio miedo. Pero no te muevas, Darman. Tú no me ves, pero yo puedo verte a ti. Como aquel día, cuando no levantabas la cabeza del escritorio. Lo que más me extrañó fue que tuvieras el pelo gris. No te muevas, no quieras acercarte. Te estoy viendo, Darman. Veo hasta el brillo de tus ojos. Te estoy apuntando con una pistola. Es la tuya, la que te quité mientras dormías. Yo nunca llevo armas, nunca aprendí a manejarlas bien, ¿no te acuerdas? Mis ojos casi no me servían para ver la luz. Pero veían en la oscuridad y yo quise que no lo supiera nadie, nadie lo sabe más que tú. En cierto modo es un castigo, Darman, igual que el insomnio. Si uno ve en la ocuridad es muy difícil que pueda dormir. Tú apagas la lámpara de la mesa de noche y todas las cosas se borran automáticamente. Pero yo sigo viéndolas, Darman, con una luz que ni tú ni nadie conoce, como si la luna llena estuviera siempre delante de una ventana abierta. Todo muy pálido, Darman, un desierto blanco con estatuas y edificios de sal, eso es lo que veo ahora mismo. Pero de día es mucho peor, todas las caras como envueltas en humo, en una especie de polvo amarillo oscuro que me hiere los ojos. Yo nunca he vivido en el mismo mundo que tú porque sólo puedo ver con claridad cuando vosotros estáis ciegos, yo oigo lo que vosotros no podéis oír y sé lo que ignoráis. Yo oigo el pensamiento, Darman, reconozco el miedo de un hombre cuando entro en una celda con la luz apagada y lo veo que se mueve y que empieza a sospechar que ya no está solo. Se arrodillan, Darman, les da terror la oscuridad y me suplican que encienda una luz, no me hace falta amenazarlos para que dicten una confesión. Cierran los ojos, aprietan los párpados igual que tú los apretabas anoche, cuando entré en esa habitación donde estabas dormido y me hablabas en sueños, me hablabas a mí, aunque no me veías, aunque no sabías que yo estaba a tu lado, me decías algo sobre ese hombre, Andrade, pero no sabes nada sobre él, no sabes qué fácilmente se rindió y me juró que haría todo lo que yo le ordenara, y ni siquiera se dio cuenta de que si pudo escapar fue porque yo lo quise. No desconfió de mí: sólo empezó a recelar cuando supo que eras tú quien vendría y que no le enviaban a un mensajero sino a un ejecutor. Te conocen, Darman, han oído hablar de ti. Walter también te conocía. En aquel tiempo daba miedo sostener tu mirada. Ahora Rebeca ha perdido completamente la memoria y hace años que perdió la razón, pero lo último que siguió recordando fueron tus ojos, me lo decía en su delirio, que habías vuelto, que ibas a matar a Walter. No lo maté yo, Darman, fuiste tú. Yo lo habría dejado vivir porque entonces estaba enamorado de ella, pero tú no lo perdonaste, ni a él ni a nadie, no había nadie de quien tú no sospecharas, te habían enviado desde Inglaterra para matar a un hombre y tú no podías volver sin cumplir tu tarea, por eso te elegían siempre a ti. No mirabas a las mujeres. Me acuerdo de que ni siquiera bebías. Te encerrabas en tu habitación para afilar el cuchillo con una tira de cuero que atabas a los barrotes de la cama...»

Lo interrumpí como si debiera angustiosamente defenderme de una acusación judicial. «Tú inventaste las pruebas contra él», le dije, «yo lo maté porque tú lo habías condenado». Pero hablar en la oscuridad era como estar ya muerto y acordarse de los vivos repitiendo en el simulacro de la conversación palabras antiguas y perdidas, nombres lejanos de fantasmas que no existían en el mundo. La brasa roja se avivó frente a mí: lo oí chupar avariciosamente la colilla. Cuando buscara otro cigarrillo yo tendría durante unos segundos la oportunidad de arrojarme sobre él. Pero me quedé quieto, esperando que surgiera de nuevo la llama del encendedor, que su rápida claridad alumbrara ese rostro. Pensé que no era Valdivia, que iba a matarme y yo no me movería. Vería el fulgor del disparo y cuando sonara la detonación yo ya estaría muerto: aún no lo estaba, porque la voz seguía hablándome.

«Pero yo la salvé a ella, Darman. La salvé a ella y a la niña, a la hija de Walter. Cuando él murió Rebeca Osorio estaba embarazada y quería matarse. Me las llevé de Madrid, las escondí conmigo, pero ella no me hablaba y nunca me miró, ni me dejaba tocarla, me pasé años vigilándola para que no se matara y todas las noches me acercaba a la puerta de su dormitorio y la oía cerrarla con llave. La vi volverse loca, Darman, la vi envejecer como si cada día y cada hora pasaran años enteros de su vida y perder la memoria, y cuando se marchó pensé que había sufrido un ataque de amnesia, pero era odio, Darman, el odio la había envenenado, le corrompió la razón y le contagió esa enfermedad del olvido. Estuve siete años buscándolas, y cuando la encontré a ella sola en un manicomio no se acordaba de su nombre ni de que tenía una hija, vino conmigo porque no sabía quién era yo. No quiero que lo recuerde nunca, Darman, no quiero que se mire en ningún espejo, ya la he perdido a ella pero he encontrado a su hija y no voy a dejar que también se me vaya ni que sepa quién soy, no permitiré que me la quite nadie. Ese Andrade lo intentó, pero yo vigilaba, Darman, siempre estoy vigilando, aunque ya no será necesario, porque se va a quedar aquí, si yo la he inventado nadie más que yo tiene derecho a mirarla, pero no te muevas, Darman, te he dicho que no vengas hacia mí, te estoy viendo, veo tu cara y tus ojos, te estoy apuntando con tu pistola, escucha, le he quitado el seguro, te voy a disparar...»

Había dado la última chupada a su cigarrillo y cuando la lumbre se extinguió yo me levanté dispuesto a saltar sobre él con un ebrio impulso de agresión y suicidio, oyéndolo todavía decirme que no me moviera, pero de pronto su voz ya no me hipnotizaba ni tenía miedo de sus ojos ni de la oscuridad. También él se había levantado y retrocedía, lo notaba en la hueca vibración de las tablas bajo mis pies, y al echarse hacia atrás alzaba la pistola, demasiado pesada para sostenerla con una sola mano: así lo vi cuando la luz de la linterna estalló como un relámpago contra su cara. Se tapó los ojos con las manos, sin soltar la pistola, pero la luz seguía fija en él y se tambaleaba y hacía gestos extraños moviendo la cabeza, como si huyera de un hierro candente que ya estaba quemándolo. Arriba, en las últimas gradas, más alta que nosotros, la muchacha pálida y desnuda mantenía inmóvil la linterna y su círculo de incandescencia trazaba una fría y blanca línea de luz que iba a romperse en la cara de Valdivia, y siguió persiguiéndolo cuando cayó hacia atrás como empujado por ella. Rodó sobre los escalones, gordo y torpe, desconocido, ciego, levántandose para retroceder otra vez mientras ella descendía lentamente y no dejaba de enfocar la linterna en sus ojos, la luz cada vez más cercana y más poderosa contra la que manoteaba como si se defendiera de una nube de pájaros. Había perdido la pistola y tenía rotas las gafas, y sus párpados se estremecían como crudas membranas sin pestañas.

«La pistola», dijo a mi lado la muchacha , «está ahí, mátalo». Alumbró rápidamente el suelo para que yo la viera y cuando la tuve en mis manos levantó de nuevo la linterna hacia él, envolviéndolo como en una cegadora cápsula de cristal. Se había arrancado en silencio el esparadrapo de los ojos, se había deslizado por las gradas sin que él la viera hasta que estuvo segura de que cuando encendiera la linterna le acertaría en la cara, arrastrándose con sigilo sobre su vientre desnudo, mientras él seguía hablándome y olvidaba su presencia, rozando con el dedo índice el interruptor como quien amartilla cautelosamente un revólver y sabe que no tendrá más oportunidad de sobrevivir que la de un solo disparo. «Mátalo», me dijo, pero yo sentía en mis manos el peso de la pistola y lo miraba a él sin apretar el gatillo, sin reconocer en aquella cara trémula y reblandecida y lívida las facciones de Valdivia ni las que mi imaginación atribuía al comisario Ugarte. No parecía tener ojos, sino dos cicatrices recosidas en los párpados, y su boca grande y abierta se movía repitiendo mi nombre mientras gateaba hacia las gradas más bajas hostigado por la luz y cruzaba ante ella sus dedos extendidos como en actitud de vade retro.

Pero la linterna seguía acercándose a él, y cuando ya no pudo retroceder más se aplastó contra la frágil barandilla que lo separaba del vacío, de espaldas a la sombra donde iba a perderse el círculo de claridad que la muchacha blandía sobre él como si quisiera golpearlo con una antorcha. La barandilla osciló empujada por el peso de su cuerpo, y él abrió un momento los ojos con la alarma instintiva del vértigo: sólo entonces, cuando vi sus pupilas incoloras y húmedas, supe con la hiriente plenitud de una certeza lo que en el fondo de mí mismo me había negado a aceptar: que ese hombre, el comisario Ugarte, Beltenebros, no había usurpado la identidad de alguien a quien yo conocí y que estaba muerto, porque yo podía haber olvidado su cara o su voz, pero no la mirada que casi siempre escondía Valdivia al otro lado de las gafas. «Darman», me dijo, «dile que apague esa linterna», y luego casi gritó, «mátame, Darman», agitando las manos contra la luz, doblándose hacia atrás sobre la barandilla. Oí un crujido de madera y de hierro, un largo estrépito de derrumbe que me paralizó como si la pistola hubiera estallado entre mis manos. Pero no era cierto, yo no había disparado, no sentía la mordedura del retroceso ni el olor de la pólvora, yo había permanecido inmóvil mientras la oscuridad

se abría a sus espaldas y él caía como desmoronándose con una lentitud irreal, mirándome por última
vez desde los precipicios del Universal Cinema, desde la orilla de un gran foso de sombra que ni siquiera la fosforescencia de sus ojos nocturnos podría ya
traspasar.